LES CÉLIBATAIRES

ŒUVRES DE H. DE MONTHERLANT

HENRY DE MONTHERLANT

Les célibataires

ROMAN

Quand parurent *les Célibataires*, en 1934, ce roman fut considéré comme un renouvellement notable de l'auteur, de qui les deux romans précédents, *le Songe* et *les Bestiaires*, étaient moins des romans que des fragments d'une autobiographie à peine transposée. En fait, Henry de Montherlant avait écrit, de 1930 à 1932, son premier roman-roman, son premier roman « objectif », avec *la Rose de Sable*, mais, pour des raisons d'ordre personnel, il avait renoncé à le publier.

Les Célibataires, parus d'abord dans la *Revue des Deux Mondes*, ne subirent pas le sort commun à la plupart des ouvrages de Montherlant : ils ne furent pas « discutés », ils reçurent une approbation presque unanime. Le Grand Prix de Littérature de l'Académie française, et le prix Northcliffe (anglais), donnés à l'auteur en cette même année 1934, sanctionnèrent ce mouvement de l'opinion. Et *les Célibataires* allaient être traduits en U. R. S. S. à peu près en même temps que dans l'Espagne de Franco.

PREMIÈRE PARTIE

I

CE soir froid de février 1924, sur les sept heures, un homme paraissant la soixantaine bien sonnée, avec une barbe inculte et d'un gris douteux, était planté sur une patte devant une boutique de la rue de la Glacière, non loin du boulevard Arago, et lisait le journal à la lumière de la devanture, en s'aidant d'une grande loupe rectangulaire de philatéliste. Il était vêtu d'une houppelande noire usagée, qui lui descendait jusqu'à mi jambes, et coiffé d'une casquette sombre, du modèle des casquettes mises en vente vers 1885 : avec une sous-mentonnière à deux ailes, actuellement relevées de chaque côté sur le dessus. Quelqu'un qui l'aurait examiné de près aurait vu que chaque détail de son accoutrement était « comme de personne ». Sa casquette était démodée de trente ans; sa houppelande était retenue, au col, par deux épingles de nourrice accrochées l'une à l'autre et formant chaînette; le col tenant de sa chemise blanche empesée était effrangé comme de la dentelle, mettant à nu le tissu intérieur, et sa cravate était moins une cravate qu'une corde vaguement recouverte de place en place d'une étoffe noire passée; son pantalon flottant descendait bien de quinze centimètres plus

bas que ce que les tailleurs appellent « la fourche »;
le lacet d'une de ses bottines (des bottines énormes)
était un bout de ficelle qu'on avait eu *l'intention*
de peindre en noir avec de l'encre.

S'il avait poussé plus loin son indiscrétion,
l'observateur aurait remarqué que c'était de même
une forte ficelle qui tenait lieu de toute ceinture
à notre personnage, et que celui-ci ne portait pas
de caleçon. Ses vêtements, à l'intérieur, étaient tout
bardés d'épingles de nourrice, comme ceux d'un
Arabe. Il avait à chaque pied deux chaussettes de
laine superposées (d'où sans doute la largeur des
godillots). Retournant les poches, voici ce que
l'observateur y eût trouvé de remarquable : un
vieux croûton de pain, deux morceaux de sucre,
un mélange sordide de brins de tabac noir et de
miettes solidifiées de vieille mie de pain, et une
montre en or massif, qui l'eût arrêté. C'était une
montre ancienne, plate, respirant par toute sa personne la beauté de la chose coûteuse et parfaite; le
boîtier en était littéralement recouvert par le
pataras que faisait un blason très historié (lion,
flammes, toute la boutique) et couronné d'une
couronne de baron. Enfin, finissant sa visite par
le portefeuille (un portefeuille en loques, et, à
l'emplacement du crayon, sans crayon), l'observateur y eût rencontré d'un côté une centaine de
francs, de l'autre une carte de réclame de la maison
« Jenny, fards de théâtre, etc. », et trois cartes de
visite qui devaient bien être là depuis dix ans, car
elles étaient jaunies au point d'en être devenues
presque brunes sur leurs bords. Elles portaient,
vulgairement imprimée, la suscription : *Elie de
Coëtquidan, 11, rue de Lisbonne.* Et, par une singularité qui ne se voit plus qu'en province et
encore, peut-être, seulement en Bretagne, la sus-

cription était surmontée d'une couronne de baron.

M. Elie de Coëtquidan, vissé sur une patte, bousculé par les passants, mais imperturbable, lut en entier son journal à la lumière de cette boutique de coiffeur, devant laquelle il le lisait chaque soir, à la même heure, — bien que plusieurs parmi les autres magasins fussent mieux éclairés, — et cela depuis neuf ans. Le texte de ce qu'il lisait lui arrachait de temps en temps un grognement. un *Hrrr...* très caractéristique, qui n'était qu'à lui, ou même une interjection : « Salauds! » — « Saloperie! » — « *Hrrr*, c'est bien ça, les jeunes!... » Enfin, tenant par un coin le journal tout déplié, il s'ébranla vers le boulevard Arago. De temps en temps il ralentissait, pour remuer, du bout de sa canne, quelque papier ou détritus sur le trottoir, avec le geste classique du chiffonnier qui crochette.

Boulevard Arago, il s'arrêta devant une grille, derrière laquelle on distinguait, dans l'ombre, un jardinet, puis un pavillon d'aspect banal, dont la façade était sans lumière, comme si la maison était inhabitée. M. de Coëtquidan sortit un trousseau de clefs, attachées elles aussi — comme le pantalon, comme la bottine — par une ficelle, toute cotonneuse d'aspect, tant elle était usée, et ouvrit la porte de la grille. Puis, ayant détaché d'un arbuste une feuille, dont il se fourra la tige entre les dents, il contourna la maison et entra dans la seule pièce qui en fût éclairée, la cuisine, où une grande femme osseuse, à tête de poule, et sur le déclin de l'âge, s'occupait à son fourneau.

— Alors, vous voilà rentré! dit la femme. Et au timbre haut de sa voix, comme à l'expression — Mélanie lui parlait d'ordinaire à la troisième personne, — M de Coëtquidan connut qu'elle avait un verre dans le nez.

D'un geste large, le bras tendu, avec une sorte d'*air noble* qui évoquait un acteur de province, il offrit à Mélanie le journal déplié et froissé, taché par ses doigts toujours poisseux d'on ne sait quoi, et toujours sales.

— Tenez! Je vous le donne!

Et son geste, et son : « Je vous le donne! » n'auraient pas été plus magnifiques, s'il lui avait fait cadeau d'un diadème. Mais soudain M. de Coëtquidan, interrogeant la cuisine d'un regard anxieux et quasiment égaré :

— Minine n'est pas là? Où est Minine?

— Minine? Oui, il vadrouille! Mais la Grise était là ce tantôt. Même qu'elle m'a fait un affront. Tenez, juste là où vous êtes. Ça pue encore.

— *Nan*, ça ne pue pas, dit M. de Coëtquidan, d'un ton sans réplique.

— Eh bien! Si vous aviez été là ce tantôt! Oh! ces chats. Dire qu'il y a quatre ans qu'on les a, et qu'ils font encore leurs saletés tout partout!

— Chez *moa* ils n'en font pas, dit le bonhomme, du même ton. Mais tout à coup son visage s'éclaira, se transfigura, et avec un : « Hon! Voilà Minine! » il traversa brusquement la cuisine, bousculant presque Mélanie, et ouvrit la porte à un petit chat qui se faufila, d'un bond sauta sur une chaise, et d'un autre bond sur l'épaule de M. de Coëtquidan, où il se mit à se câliner.

M. de Coëtquidan jouissait d'un grand prestige auprès des chats. Il savait les caresser à la naissance de la queue, entre les pattes, etc., toute une façon de patiner les chats qui n'est guère connue que des célibataires. Il les rendait fous.

— Alors, on ne dîne pas, ce soir? demanda-t-il soudain, d'une voix rogue.

— J'attends M. de Coantré. Il a été chez le

notaire. Il fait seulement que de revenir; il est en train de se déshabiller.

Sans mot dire, le vieillard saisit une sonnette, entrebâilla la porte donnant sur la maison, et agita la sonnette nerveusement, avec une sorte de frénésie sénile, et en même temps un visage très déterminé, comme s'il donnait le signal d'une attaque à main armée, ou du « Tout le monde sur le pont! ». Il avait toujours sa feuille dans la bouche, comme un vieux bouc. Une voix cria : « Je descends! Je descends! »

La cuisine était spacieuse et très bien tenue; c'était d'ailleurs la seule pièce bien tenue de la maison. Deux batteries de cuisine, en cuivre, y reluisaient comme des soleils. Au milieu, sur la table de cuisine recouverte d'une nappe de belle qualité, deux couverts étaient mis, avec des verres et des carafes de cristal : aux jours de froid vif, les repas étaient servis à la cuisine, pour n'avoir pas à faire de feu dans la salle à manger, où la chaleur du grand poêle qui chauffait la maison ne parvenait pas assez forte. L'argenterie, la nappe, les serviettes portaient des couronnes de comte. Au dossier d'une des chaises on voyait noué un bout de ficelle. Toujours la ficelle de M. de Coëtquidan! Que ne figurait-elle dans ses armoiries! Car cette chaise était *sa* chaise. En effet, des dix chaises de la salle à manger, il n'y en avait qu'une, paraît-il, qui ne clochât pas du tout, et M. de Coëtquidan se l'était adjugée; si Mélanie se trompait, et lui en disposait une autre, cela faisait un beau vacarme. Ce jour-là encore, avant de s'asseoir, et bien qu'il vît la ficelle, M. Elie vérifia la parfaite stabilité de sa chaise. Sur ce, un petit monsieur entra, et dit vivement :

— Je ne vous ai pas fait attendre, l'oncle? Je

ne crois pas qu'il soit plus de sept heures et demie. Quelle heure avez-vous, madame Mélanie?

(Il disait « madame Mélanie », tandis que M. de Coëtquidan disait « Mélanie » tout court.)

— Mais non, monsieur, il est sept heures et demie tout juste. Mais M. de Coëtquidan était pressé!

— Je viens de chez le notaire, dit le petit monsieur, et à voix basse il ajouta : « Je vous parlerai de cela après le dîner. » Il s'assit, et les deux messieurs, ayant mis serviette au col, comme les vachers, commencèrent de dîner.

Le comte de Coantré était un homme à qui l'on eût donné quarante-huit ans environ, bien qu'il en eût cinquante-trois : le visage assez plein, des moustaches et une courte barbiche sans un poil blanc, les cheveux coupés ras. Il était vêtu d'un veston d'intérieur tellement élimé sur le devant qu'à cet endroit il y avait comme une large plaque blanchâtre : c'était la corde du vêtement qui apparaissait. Sa chemise était une chemise d'ouvrier, en grosse flanelle kaki, au col graisseux. Ses pantoufles de feutre étaient percées l'une et l'autre, et son pantalon avait exactement la même dégaine que celui de M. de Coëtquidan : les quinze centimètres réglementaires au-dessous de la fourche. Alors que les mains de M. Elie, bizarrement zébrées d'égratignures par les chats, étaient fines, presque féminines (il en était très fier, comme il était fier de ses pieds sensibles, qui le forçaient à porter, été comme hiver, deux chaussettes de laine superposées), les mains de M. de Coantré étaient presque calleuses, surtout à l'extrémité des doigts, toute fendillée de petites rides que la poussière incrustée rendait grisâtres : des mains de travailleur.

Pendant le repas, les deux messieurs déroulèrent,

en paroles, la plus riche collection d'insanités qui puisse être conçue. M. de Coëtquidan récitait son journal, et M. de Coantré son éducation. L'insanité n'était pas tant dans ce qu'ils disaient, où il y avait bon nombre de vérités, que dans le fait qu'ils parlaient sans savoir. Et tous deux avec passion. Le nom de Briand, qui vint dans leurs discours, leur tira de l'œil des éclairs. Les huguenots empalés par Montluc le furent une seconde fois par M. Élie. Rien, dans leurs propos, qui ne fût tranchant : les hommes, les événements, les opinions, jugés en une phrase, exécutés presque toujours, et sans appel. Il y eut toutefois deux courtes éclaircies. L'une, quand M. de Coëtquidan décrivit les boutons des uniformes des gardes-françaises, et tout ce qu'il en dit était exact. L'autre, quand M. de Coantré expliqua certain dispositif de son invention, destiné à empêcher les rats de venir manger la nourriture de deux poules qui avaient un enclos dans le fond du jardin. Durant ces éclaircies, les deux messieurs, chacun dans sa spécialité, furent intéressants.

Enfin les messieurs se levèrent de table. M. de Coantré alluma une lampe à pétrole (seule, probablement, de tout le boulevard Arago, la maison, en 1924, n'avait pas l'électricité, par crainte à la fois de la dépense et de la nouveauté), et, disant à son oncle : « Je vous demande pardon, je passe devant vous à cause de la lampe », il sortit de la cuisine. La maison était dans une obscurité complète, et la lampe éclaira faiblement un escalier étroit, aux marches couvertes d'un tapis usagé. Un grand poêle chauffait toute la maison par la cage de l'escalier. M. de Coantré monta le premier, tenant la lampe. A mi-chemin, il s'aperçut que M. de Coëtquidan ne le suivait pas, et s'arrêta.

— Vous ne montez pas, l'oncle?

— *Nan,* je me chauffe, répondit le vieillard, qui était resté en bas près du poêle. Et comme l'autre hésitait, il ajouta, d'un ton protecteur : « Installe-toi chez moi. Je monte dans un instant. »

M. de Coantré alla jusqu'au premier et entra dans la chambre de son oncle. Il y régnait une odeur forte et fade, comme celle que répandent les nourrissons mal tenus, et dont la base était une sorte de brillantine de bazar que le vieillard se mettait sur les cheveux. Sur la table, encombrée de livres et de revues maculés et jaunis, il n'y avait qu'un petit emplacement qui fût à peu près libre; encore était-il occupé par ces objets, propres à M. Elie, qui sont déjà pour nous de vieilles connaissances : des morceaux de sucre, des croûtons de pain, des brins de tabac, et enfin, il est à peine besoin de le dire, des bouts de ficelle. La plupart des objets qu'on voyait sur cette table, livres, paquets de cigarettes, boîtes d'allumettes, boîtes de spécialités pharmaceutiques, portaient, collés sur eux, de vieux timbres oblitérés; car M. de Coëtquidan ne pouvait voir un timbre sur une lettre (il allait, tous les soirs, crocheter avec sa canne dans la boîte aux ordures, pour rechercher s'il n'en trouverait pas une) sans le décoller, avec tout un art, et le recoller, à force de salive, sur quelque objet de sa chambre.

Dans l'ombre, contre les murs, on distinguait vaguement une profusion de cadres, de statuettes en simili bronze, de panoplies militaires avec sabres et buffleteries; un christ au-dessus du lit; une bibliothèque. A voir toutes ces choses militaires, notre observateur n'eût fait ni une ni deux : « C'est un vieux commandant de zouaves en retraite. D'ailleurs la barbe est typique. » Mais

M. de Coëtquidan n'avait jamais fait, seulement, huit jours de service militaire. « Au moins, niera-t-on qu'il soit chasseur? » se fût alors retourné notre homme, discernant dans un coin un fusil et une gibecière, et sur la table trois *Almanach du Chasseur français*, vieux respectivement de quatre, sept et onze ans; — mais M. de Coëtquidan ne savait seulement pas comment on charge un fusil, et la gibecière n'avait jamais contenu que des paquets de gros bleu. Mais si l'observateur avait ouvert la bibliothèque et aperçu, dans les rayons du bas (ceux qui étaient dissimulés par la boiserie!) la série des *Claudine*, des albums de Willette et de Léandre, des cartes postales de « nu artistique », des livres de Maizeroy et de Champsaur, il eût triomphé : « J'y suis enfin! C'est un vieux qui s'est garé des voitures. » — Seulement M. de Coëtquidan, à soixante-quatre ans, était vierge.

M. de Coantré posa la lampe sur la table, et marqua de nouveau une hésitation. Que « l'oncle » restât en bas tranquillement, à se chauffer et à le faire attendre, alors qu'il l'avait prévenu qu'il avait à lui parler de choses sérieuses, certes, il trouvait cela désinvolte. Mais il était si habitué au respect qu'il n'en était pas choqué. Il eût pu, pour attendre, s'asseoir dans l'unique fauteuil de la chambre, placé devant la table; l'idée ne lui en vint pas : c'était le fauteuil de l'oncle! Le seul autre siège de la pièce était une chaise, couverte de plusieurs kilos de livraisons de *la Sabretache*, comme pour indiquer qu'elle n'était pas faite pour qu'on s'y assît, et que l'étiquette, en ce qui touchait les visiteurs de M. de Coëtquidan, était qu'ils restassent debout, M. de Coëtquidan, bien entendu, se gardant son fauteuil. Son attente menaçant de durer, M. de Coantré, non sans avoir passé par un

débat qu'on eût pu lire sur son visage, se décida
enfin à déplacer les *Sabretache*, qu'il empila tant
bien que mal sur la table. Puis, sortant de sa poche
un papier, et le posant lui aussi sur la table, il
s'assit sur la chaise et attendit.

Il entendait, en bas, le *pch... pch...* crachouteur
de la pipe de M. de Coëtquidan. En effet, le vieil
homme avait l'habitude de saliver continuellement
dans sa pipe, qui finissait par contenir une telle
quantité de liquide que souvent on le voyait, ren-
versant le fourneau de la pipe, en faire couler
sur les graviers du jardin un long jet de jus noi-
râtre. Puis M. de Coantré entendit un autre bruit
caractéristique, et, d'exaspération, ses traits se
contractèrent.

Ce bruit était celui que venait de faire M. de
Coëtquidan en tournant la clef du poêle, afin de
le faire marcher plus fort, et de se chauffer mieux.
Or, ce geste de M. de Coëtquidan, geste rituel,
comme tant de gestes et de mots étaient rituels
dans cette maison, était depuis toujours la cause
de drames, — rituels eux aussi, naturellement. Du
temps où la maison était menée par la comtesse
de Coantré, mère de M. de Coantré et sœur de
M. de Coëtquidan (ce temps n'était pas ancien :
il y avait six mois qu'elle était morte), M. de Coëtquidan payait à sa sœur une pension de cinq cents
francs par mois, qu'il payait aujourd'hui à son fils.
Or, les coups de pouce donnés en catimini à la
clef du poêle par le vieillard augmentaient la
consommation de charbon : *inde irae.* Il n'était pas
rare que, du haut de l'escalier, Mme de Coantré
tançât son frère cadet comme un gamin :

— Elie, tu viens de toucher au poêle!

— *Nan!*

— Ne mens pas! Je t'ai entendu!

— Puisque je te dis que *nan!* Ça!

(En passant, saluons le *Ça*, très idée-que-nous-nous-faisons-du-XVIIe. A moins qu'il ne soit, plus simplement, très vieux commandant en retraite.)

A présent, la clef du poêle était un de ces objets qui entretenaient une inquiétude constante dans le faible cerveau du pauvre comte. Il vivait dans l'appréhension d'entendre le bruit fatal, et de devoir alors, ou accepter ce gaspillage de charbon, ou faire une observation à son oncle, éventualité qui dans son esprit prenait des proportions tragiques. Après déjeuner, il guettait la sortie du vieux et, sitôt qu'il avait entendu la porte de la maison se refermer, il descendait les deux étages et fermait la clef du poêle. Le soir, sur le point de s'endormir, il était réveillé en sursaut : il avait cru entendre qu'on ouvrait la clef du poêle.

Enfin, M. de Coëtquidan monta l'escalier, et, peu ingambe, il s'accrochait tellement à la rampe qu'on eût dit qu'il allait la déraciner : elle en tremblait du bas en haut de la maison. M. de Coantré alla au-devant de lui pour l'éclairer. M. de Coëtquidan entra dans sa chambre.

— L'oncle, pour la première fois, je vais être obligé de vous parler affaires...

M. de Coantré s'arrêta court. Les yeux de l'oncle étaient tombés sur la chaise : les *Sabretache* n'y étaient plus! Et, à l'instant, le regard du bonhomme avait volté, les cherchant par toute la chambre, avec la même lueur d'*égarement* qui y avait passé tout à l'heure, quand, jetant un regard circulaire dans la cuisine, il avait demandé : « Où est Minine? »

— Elles sont là, dit M. de Coantré, montrant la table.

M. Elie tripota les revues d'un doigt nerveux.

Et M. de Coantré, si habitué qu'il fût à son oncle, fut malgré tout abasourdi en voyant le geste : le vieillard comptait les revues, comme s'il craignait que son neveu en eût volé une. Puis il s'assit et fit : « Hrrr... » Ces « Hrrr... », pareils aux grognements dont certains singes soulignent tout ce qu'ils font, étaient toujours chez lui lourds de choses, et d'ordinaire menaçants.

Une nuée de trouble passa sur le visage de M. de Coantré, ses paupières battirent rapidement, et il dit :

— L'oncle, depuis la mort de maman, je n'ai jamais voulu vous parler affaires. M'inspirant toujours de ce que maman aurait fait, j'ai voulu avant tout ne troubler en rien votre tranquillité.

— Tu as bien fait, mon garçon, dit M. de Coëtquidan, avec un cynisme dont et lui et son neveu restèrent inconscients.

— Mais il faut tout de même, à un certain moment, se mettre en face des réalités. Dans la vie, il faut être réaliste, dit le comte, sur un ton doctrinaire (ce mot de *réaliste* était un mot alors à la mode dans les journaux; quand on connaîtra mieux M. de Coantré, on sentira qu'il avait dans sa bouche une saveur toute particulière). J'ai vu aujourd'hui encore Bourdillon (c'était le clerc principal de l'étude Lebeau), et le moment est venu que je vous mette au courant de la situation.

« Quand maman est morte, l'actif, évalué par Lebeau, a donné, mobilier non compris, soixante-dix mille francs (il avait jeté un coup d'œil sur le papier qu'il avait posé sur la table). Ajoutez à cela les deux mille francs qu'on a trouvés dans le secrétaire de sa chambre, soit soixante-douze mille francs. La petite (c'était sa nièce, Simone de Beauret) et moi nous avons été d'accord pour accepter la succession sous bénéfice d'inventaire. Cependant, aussitôt la succession ouverte, Antoni a fait valoir chez Lebeau une créance de trente mille en principal, et quarante mille avec les intérêts. »

— Ta mère avait emprunté trente mille francs à Antoni? demanda M. de Coëtquidan, les yeux élargis, qui montraient en entier ses prunelles d'un bleu très pâle.

— Oui, entre 1909 et 1914, trois mille francs par-ci, cinq mille par-là...

— Et qu'est-ce qu'elle en faisait, de cet argent? demanda M. Elie, fixant son neveu, d'étrange façon.

— Eh! l'oncle Elie, vous le savez bien. C'était pour mettre en ordre le passé.

En effet, M. de Coëtquidan le savait bien, ou plutôt s'en doutait bien : ces emprunts avaient été faits par Mme de Coantré pour payer l'arriéré de dettes de feu son mari. Mais l'occasion lui avait paru trop belle, de rappeler à M. de Coantré les torts de son père.

— A ce moment, continua M. de Coantré, il s'est révélé une nouvelle dette. Mme de Saint-Huberty a réclamé seize mille francs prêtés par son père, M. d'Aumagne, à maman, en 1912, plus quatre mille francs d'intérêts. J'ai retrouvé dans les papiers de maman une lettre que lui écrivit en 1916 M. d'Aumagne, lui disant : « Ne parlons plus de cela. » Mais il paraît que ça n'a pas de valeur légale. Nous avons désintéressé intégralement Antoni, en vendant des valeurs. Avec Mme de Saint-Huberty on a transigé, elle a renoncé aux intérêts : nous avons vendu encore et l'avons payée. Soit un débours de cinquante-six mille sur les soixante-douze. Reste : seize mille. Vous me suivez bien?

— Hrrr... dit M. de Coëtquidan, qui trouvait confus tout ce qui est précis.

— Sur ces seize mille, j'ai dépensé depuis la mort de maman, pour la maison, pour l'enterrement, etc., huit mille francs en chiffres ronds. Il y aura les frais et les honoraires de Lebeau : je les évalue à deux mille francs. Reste six mille, et encore, si de nouveaux créanciers ne se révèlent pas. Toute la fortune de votre neveu se compose, en mettant les choses au mieux, de six mille francs, sans parler de vos cinq cents francs mensuels de pension. Plus les quatre meubles de ma chambre. Ma part du mobilier de maman, j'en fais don à la petite Cela tient beaucoup de place, mais vous savez ce que c'est, des choses démodées, à demi cassées. La petite en fera ce qu'elle voudra, elle conservera ce qui pourra lui servir quand elle sera mariée, et vendra le reste.

M. de Coantré s'arrêta, et il y eut un silence. M. de Coëtquidan fit simplement :

— Hrrr...

Un naïf eût pu être ébloui par les mots techniques que le comte avait semés dans l'exposé simpliste qu'il venait de faire, les yeux toujours fixés sur son petit papier : « ... fait valoir une créance... en principal... un débours... » sans oublier ce « J'évalue... » qui sent l'homme sûr de son fait. Quelqu'un de plus fin y eût distingué le masque sous lequel M. de Coantré dissimulait son ignorance et son incompréhension profondes de tout ce qui touchait aux chiffres et aux affaires.

Il continua :

— Vous comprenez bien, l'oncle, que, quand on a d'une part six mille francs en tout et pour tout, et de l'autre les six mille par an que vous me donnez comme pension, on ne peut pas conserver un loyer de cinq mille francs! Il faut donc que nous nous mettions devant la nécessité absolue de quitter le boulevard Arago à l'expiration du bail, c'est-à-dire le 15 octobre prochain, et de nous débrouiller ensuite chacun de son côté. D'ici huit mois nous avons largement le temps de nous retourner.

Il y eut encore un silence. Puis M. de Coëtquidan dit à voix basse :

— Je n'ai plus qu'à crever.

— Allons, l'oncle! *sursum corda!* Je ne sais pas quelle est votre fortune personnelle, et cela ne me regarde pas. Mais enfin, vous, vous avez quelque chose. Vous n'êtes pas quelqu'un qui a devant lui six mille francs au maximum, et qui, lorsqu'il les aura mangés, n'aura plus *rien.* Et puis, vous savez bien que l'oncle Octave ne vous abandonnera jamais.

— Mon frère! Il m'enverrait à l'asile des vieillards plutôt que de me loger chez lui.

— On vous trouvera une bonne pension de famille. Vous avez de l'argent. Vous pouvez peut-être, en mettant cela en rentes viagères...

M. de Coantré s'arrêta. L'oncle avait fait : « Hrrr », ce qui signifiait : « Là, mon garçon, tu commences à te mêler de ce qui ne te regarde pas. »

— Les six mille que j'ai, et les trois mille cinq de pension que vous me donnerez d'ici le 15 octobre, voilà mon actif jusqu'à notre départ. A déduire deux mille de Lebeau, deux mille cinq pour les deux termes. Reste cinq mille pour faire marcher la cambuse pendant huit mois.

— Et le 15 octobre, qu'est-ce que tu feras?

— Bien entendu, il faut que je travaille. Je vais commencer dès demain à m'occuper de chercher quelque chose. Je ne sais pas... peut-être infirmier...

— Hrrr... fit M. de Coëtquidan, le doigt dans son nez.

M. de Coantré ne comprit pas la signification de ce grognement, qui était : « Toi, travailler! Tu ne trouveras rien, parce que tu es un incapable. Et tu retomberas sur les bras de mon frère Octave, et ce qu'il sera obligé de faire pour toi, ce sera autant qu'il ne fera pas pour moi. »

— Moi, dit le vieillard, avec âcreté, je demanderai à Octave de me prendre comme gardien de nuit à sa banque...

Il fit une pause :

— ... et il me foutera dehors.

Ses yeux fixes s'élargirent, et il y vint une humidité voisine des larmes. C'étaient des larmes de célibataire : les larmes de l'attendrissement sur soi-même.

M. de Coantré vit ce voile de larmes. A l'instant, les larmes montèrent à ses propres yeux; mais ce n'étaient pas des larmes de célibataire : il était ému, non sur lui-même, mais sur son oncle. Avec élan, il se leva sur ses petites jambes.

— Courage, l'oncle! Je ne sais en quoi je puis vous être utile, mais vous êtes pour moi à présent le représentant de maman sur la terre. Quoi qu'il arrive, je ne vous abandonnerai jamais.

— Tu auras raison, mon garçon, dit M. de Coëtquidan.

— L'oncle, laissez-moi vous embrasser, dit M. de Coantré.

Il approcha son visage de celui du vieillard, et posa carrément ses lèvres à la lisière de la barbe hirsute. La bouche de M. de Coëtquidan esquissa, dans le vide, un vague, très vague baiser sans bruit.

Brusquement, l'émotion donna à M. de Coantré

un petit rire saccadé, et ce fut d'un ton jovial qu'il dit :

— Donc, Arago *capout!* Eh bien, ce n'est pas trop tôt! Vous verrez, l'oncle, que cela nous portera bonheur, de quitter cette sacrée cambuse. Je vous le dis : le 15 octobre 1924 va être pour nous le commencement d'une nouvelle vie!

Ils se dirent au revoir, et M. de Coantré, allumant une lampe pigeon qui se trouvait sur la table du palier, commença de monter à l'étage supérieur, où était sa chambre. « Tu n'y vois rien. Tu veux que je t'éclaire? » lui cria le vieux, et il posa sa lampe sur la table du palier. M. de Coantré en eut comme une ondée de joie. Déjà cette conversation lui avait apporté un grand soulagement. Il l'avait redoutée. Il avait craint que l'oncle ne lui fît des reproches, qui sait, n'eût une colère, ne déclarât : « Je ne m'en vais pas, ça! » Et tout s'était si bien passé que le bonhomme lui offrait de l'éclairer dans l'escalier! Il lui en avait une immense gratitude.

Dans sa chambre, la lampe Pigeon éclaira des draps sans fraîcheur, le lit où une couverture de voyage tenait lieu de couvre-pieds. Cinq minutes ne s'étaient pas écoulées, que M. de Coantré avait éteint.

A peine avait-il perdu de vue son neveu, que M. de Coëtquidan s'était approché de sa cheminée, où le feu se mourait. Délicatement, avec ses ciseaux, il s'était coupé deux poils de la barbe, et il les avait posés sur la pelle du foyer, qu'il tenait maintenant au-dessus de la braise. Bientôt les poils commencèrent de grésiller. Alors une expression d'amusement, de jubilation enfantine apparut sur le masque barbu du vieillard, une sorte de ricanement de gargouille, qui dura tant que les poils firent entendre leur petit bruit. Ah! il n'était plus

question de crever, ni seulement d'être gardien de
nuit dans la banque de son frère! La vie était
bonne, tant qu'on pouvait faire joujou comme cela.
Ensuite, le vieillard resta quelques instants le
regard fixé sur le feu. Il était dix heures. La cuisinière, qui couchait chez elle en ville, partait d'ordinaire vers neuf heures. M. de Coëtquidan se
munit de sa lampe, et s'avança avec précaution sur
le palier. La maison était silencieuse; on n'entendait que le bruit d'un morceau de charbon qui
s'écroulait quelquefois dans le poêle. S'appliquant
à ne faire aucun bruit (et cependant, comme lorsqu'il était monté, la rampe de l'escalier frémit),
M. de Coëtquidan descendit l'étage, et pénétra dans
la cuisine.

Dans le sucrier il prit trois sucres, dans un
compotier, trois noix; le tout fut empoché. Un litre
de vin rouge était entamé; il en mit le goulot à
sa bouche, en but la valeur d'un verre, s'essuyant
la bouche avec le revers de son veston. Il trempa
dans la confiture une cuiller, et s'en fit du bien. Il
était en train de laver la cuiller — tout cela dans
le plus grand silence — quand, derrière la porte,
une voix trémulante cria :

— Qui est là?

— Hrrr...

M. de Coantré parut, le visage défait. M. de
Coëtquidan poussa dans un coin la cuiller poisseuse.

— Ah! c'est vous, l'oncle! Eh bien, vous m'avez
fait une belle peur! Voyez-vous, toutes ces histoires
d'argent me tournent la tête. J'ai été réveillé en
sursaut par du bruit. J'ai cru que c'était comme
l'autre fois... (Allusion à une histoire de cambrioleur, dont nous parlerons plus loin.)

J'étais venu fermer le vasistas qui battait.

Elle oublie toujours de le fermer, dit le vieux, les yeux détournés, comme un garnement pris en faute.

Il ajouta, avec une expression sournoise, content d'humilier celui qui le prenait en flagrant délit :

— Faut pas te laisser impressionner comme ça, mon garçon!

Les deux hommes, chacun d'eux sa lampe à la main, sortirent de la cuisine.

— Tiens, monte le premier, dit M. de Coët-quidan.

Quand son neveu eut monté quelques marches, il monta derrière lui. Il avait déjà eu sa première vengeance, avec cette parole blessante. Il eut sa seconde. Au passage, les yeux baissés, sans faire le moindre bruit, il ouvrit un peu plus la clef du poêle.

II

EN mai 1869, les gens bien de Paris étaient
conviés à assister au mariage des petites de Coëtquidan, Angèle et Emilie, « les perruches » comme
on les appelait, car elles étaient jumelles. Elles se
mariaient le même jour : Angèle épousait un jeune
de Coantré, dont la passion était de vivre de ses
rentes, et Emilie un officier de marine, M. de Piagnes, qui avait toutes les vertus. M. de Coantré
épousait une perruche, parce qu'il en avait soupé
des soupeuses, et ne voulait plus que quelqu'un
de très bien. « Je la voudrais plutôt bête », avait-il
précisé quand ses tantes lui demandaient quelle
sorte de jeune personne il souhaitait qu'on lui cher-
chât; et quand on lui avait parlé de la petite Coëtquidan : « Est-ce qu'elle est bien bête? » avait été
sa première question : on l'avait rassuré. Quant à
M. de Piagnes, il ne se sentait attiré que par les
jeunes filles qui ne disaient pas un mot dans les
bals; il concluait de là à leur honnêteté; et puis
il avait pitié d'elles, parce que les danseurs les laissaient en carafe; c'était le Saint-Vincent-de-Paul des
bals blancs. Emilie dansa trois cotillons avec M. de
Piagnes, au cours desquels elle ne lui dit pas pain.
Il en fut bouleversé, et fit sa demande illico.

Les perruches avaient la réputation de n'être pas
intelligentes. Cette réputation était usurpée. Le

monde croit volontiers qu'une jeune fille qui joue
la comédie, ou qui est « un type », ou qui prépare
son baccalauréat, ou qui flirte, ou qui, sans plus,
est mal élevée, est une jeune fille intelligente; et
Dieu sait ce qu'il en est en réalité! Ayant trop
donné aux unes, le monde en refuse trop aux
autres; il condamne avec légèreté les jeunes filles
sans brillant. Et pourtant, de la sottise avec brillant ou de la sottise sans brillant, comment ne pas
préférer la seconde? Au moins n'est-elle pas une
provocation, et ne collaborera-t-elle pas à cette
grande confusion des valeurs qui est de nos jours
une plaie sociale dévorante et négligée. Les perruches avaient peu d'esprit, mais elles étaient
pieuses, droites, en retrait, dociles, prêtes à tous
les sacrifices, foncièrement charitables, enfin elles
avaient ces grandeurs chrétiennes qui sont toujours
un objet de dérision dans une société catholique.
Et puis, avaient-elles si peu d'esprit que cela? Il
arrivait souvent qu'elles prononçassent une parole
pleine de finesse ou de bon sens, qu'eût été bien
incapable de prononcer aucune de leurs brillantes
amies. Mais, comme cette parole venait d'elles, elle
passait inaperçue, à moins qu'on n'en rît. L'une
des perruches, Angèle, avait cependant la réputation d'être plus intelligente que sa sœur. Mais elle
ne profitait pas de cette réputation, parce qu'il n'y
avait guère que la famille très proche et quelques
intimes qui sussent distinguer les perruches l'une
de l'autre, tant elles se ressemblaient. On avait toujours envie, quand on abordait l'une d'elles, de lui
demander : « Voyons, est-ce que c'est vous celle qui
est intelligente? »

Les perruches avaient deux frères. Leur aîné,
Octave, était, au moment de leur mariage, un
garçon de vingt ans, qui venait d'entrer comme

employé à la banque Latty, de Paris, parce qu'il
était l'ami intime du fils du directeur. Le cadet,
Elie, était celui des Coëtquidan qui donnait le plus
d'espérances. Il préparait les Sciences politiques,
pour lesquelles il n'était nullement fait, n'aimant
pas le monde, et ne vivant que pour les livres et
les paperasses.

Ses filles mariées, le vieux baron de Coëtquidan
s'en retourna dans son château de Trenel, près de
Saint-Pol-de-Léon. Il avait exigé, au moment des
mariages, que le ménage Coantré, moyennant une
pension qu'il lui verserait, gardât auprès de lui
Elie, tellement perdu dans ses paperasses, et si bien
reconnu pour « un peu original », qu'il était considéré comme incapable de se gouverner seul ; cela
jusqu'à ce qu'Elie se mariât. M. de Coantré fit la
grimace, mais il fallut s'incliner. M. de Coëtquidan
avait choisi Angèle pour lui faire ce cadeau, parce
qu'elle restait à Paris, où Elie devait demeurer à
cause de ses études, tandis que le ménage Piagnes
allait vivre à Lorient.

M. de Coëtquidan, qui s'était marié à cinquante-
cinq ans, en avait alors quatre-vingts. C'était la
méchanceté qui le maintenait en vie, car la méchanceté, comme l'alcool, conserve. A partir d'un certain âge, chaque parole mordante prononcée,
chaque lettre anonyme envoyée, chaque calomnie
répandue vous fait gagner quelques mois sur la
tombe, parce qu'elle exaspère votre vitalité. Cela
se voit aussi chez les animaux, où une poule parti-
culièrement cruelle, un cheval cabochard, un chien
hargneux vivent plus longtemps que leurs congé-
nères. M. de Coëtquidan prétendait beaucoup ;
quand il disait : « dans *nos familles*... », il y avait
de quoi le guillotiner sur-le-champ. A Trenel,
M. de Coëtquidan s'enfonçait dans la triste fin de

vie de ceux qui n'ont pas, pour bâton de vieillesse,
la perspective d'une progression constante dans
l'ordre de la Légion d'honneur. Il vivait en tête-à-
tête avec un *Tout-Paris* de vieille date, couvert
par lui, au crayon, d'annotations mystérieuses concer-
nant toutes les familles qu'il connaissait; à quelque
page qu'il l'ouvrît, ce livre saint lui fournissait de
profondes méditations : ainsi le croyant, à quelque
endroit qu'il ouvre l'Evangile, y trouve, dit-on, une
réponse à ce qu'il cherchait.

Les autres occupations de M. de Coëtquidan
étaient plus communes. C'était lui qui agitait le
plumeau, coupait le bois, allumait le feu, chauffait
son frichti, car il s'était fait tellement exécrer que
personne ne voulait plus le servir. En augmentant
leurs gages, il eût sans doute gardé ses gens, mais
c'eût été céder. Toujours faisant le vide, mais
opprimant encore ce vide, ou le peu qui s'y hasar-
dait, il en vint au point où les fournisseurs eux-
mêmes refusèrent de monter au château. Il n'y eut
plus pour y sonner que le facteur, écume aux lèvres,
car M. de Coëtquidan s'était abonné au *Temps*,
dans le seul but de forcer cet honnête homme à
faire chaque jour les seize kilomètres, aller et
retour, qui séparaient le château du bureau de
poste. Abandonné des fournisseurs, qui renonçaient
avec joie à son argent, à la pensée de le sentir
agoniser, M. de Coëtquidan vécut de fruits du
verger, de petits beurres et de cakes qu'il se faisait envoyer par le fabricant, et fût crevé de cet
état, si Mme Angèle ne l'y eût trouvé par hasard
et ne lui eût envoyé son valet de chambre, avec
des gages extraordinaires, mais qui revint incontinent, car M. de Coëtquidan l'avait commandé, et
il souffrait seulement qu'on le priât. M. de Coëtquidan serait retombé dans les petits beurres, si son

autre fille, succombant à l'attrait du sacrifice, ne s'était installée à Trenel. La nourriture rendit à M. de Coëtquidan ses capacités : il entreprit de peindre sur des assiettes les armoiries de toutes les provinces de France, telles qu'elles étaient en 89.

Enfin le vieux tapir eut un coup de sang, et en mourut après trois jours.

Après cinq ans, ce fut M. de Piagnes qui mourut, par un accident de machine, à l'arsenal de Lorient. Mme de Piagnes, veuve sans enfant, vint vivre à Paris avec son frère Octave, resté célibataire. De son côté, le ménage Coantré, toujours flanqué de M. Elie, qui s'entêtait lui aussi dans le célibat, s'était augmenté d'un garçon et d'une fille, Léon et Marie.

En 90, rien n'avait changé dans l'association Octave-Emilie; seulement M. Octave était chef de quelque chose à la banque, et tournait à l'important. Chez les Coantré, il était venu encore une fille, Madeleine; Marie était morte à seize ans. Le mariage avait fait faire à M. de Coantré un virement malheureux. L'occupation de M. de Coantré, jusqu'à son mariage, avait été de courir le guilledou. Homme de devoir, il rompit avec cela en se mariant. Mais il fallait bien qu'il s'occupât, que l'intérêt et la passion qu'il portait aux femmes trouvassent un autre objet : son activité, disponible, s'employa donc à faire fructifier sa fortune par les méthodes de la Bourse, telles que les comprennent et les pratiquent les gens du monde, en d'autres termes à se ruiner. Cette ruine, en 1890, était en bonne voie.

Cette année-là, Léon de Coantré fit son volontariat à Toulouse. Il avait été un enfant dorloté, auquel on fit garder ses boucles longues jusqu'à sept ans, puis un brillant élève de *nos maisons,*

brillant mais indiscipliné et fantasque. Sa mère le
gâtait follement, par faiblesse et par amour. Son
père le gâtait par tempérament — les Coantré
étaient des gens faciles — et par principe. M. de
Coantré, en effet, ne digérait pas aisément la présence installée, à son foyer, d'un personnage aussi
peu sympathique qu'Elie de Coëtquidan, de plus
en plus immariable; il avait tendance à prendre en
grippe les Coëtquidan. En gâtant son fils, il protes-
tait contre les théories rigoureuses de son beau-
père; il prétendait qu'une éducation trop sévère
produit automatiquement une réaction, chez l'enfant parvenu à l'âge d'homme. Qu'étaient devenus
les enfants du vieux Coëtquidan? Angèle et Emilie
conservaient, mariées, le genre terrorisé qu'elles
avaient sous leur père, non sans en être diminuées
dans la vie sociale. Elie n'en faisait qu'à sa tête,
et d'ailleurs (nous le verrons plus loin) avait tourné
au fruit-sec.

Bachelier, Léon de Coantré fit sa première année
de droit. A l'examen, un examinateur crut se souvenir d'avoir été en relations, jeune homme, avec
des Coantré. Avant de lui dire la raison de sa curio-
sité, il lui posa quelques questions sur sa famille.
Léon eut alors un trait à la Coëtquidan l'ancien.
« Qu'est-ce que ça peut vous faire? » dit-il à
l'homme solennel. On le recala tambour battant.
Les deux années qu'il passa ensuite jusqu'à son
service, continuant son droit sans goût et sans succès, eurent cette abjection qui caractérise l'époque
« estudiantine » dans la vie du Français moyen.

C'était un garçon doué, et dans les sens les plus
divers. Il excellait à faire des vers latins. Il des-
sinait et peignait très agréablement, sans avoir
jamais appris. Il tirait du piano des harmonies
troublantes, — et son ignorance musicale était

telle qu'il ne savait seulement nommer une note qu'on lui montrait sur la portée! La physique, la mécanique l'intéressaient; il s'enfermait pour faire des expériences. Une surprenante habileté de ses mains : il construisait, en réduction, des maisons, des bateaux, fouillés jusqu'au détail, avec un goût, une ingéniosité, et une virtuosité technique qui en faisaient de vraies petites œuvres d'art, bonnes à figurer dans quelque exposition.

Au régiment, où il devint sergent, il se lia avec un autre sergent, Levier, dont le père était contre-maître dans un atelier de mécanique générale. Son horreur de se contraindre en quoi que ce fût le rapprochait du peuple, lui faisait choisir, pour camarades préférés, des garçons du peuple, pour maîtresses des cousettes ou des bonniches; avec eux il n'avait pas à se gêner. Les gens du monde étaient ses bêtes noires : physiquement, il ne pouvait pas désirer une femme qui avait de la naissance. Vers la fin de son temps de service, Léon en vint à parler à Levier d'un certain dispositif dont il avait l'idée, qui permettrait l'agrandissement des clichés photographiques, dispositif très en avance sur ce qui se faisait en ce genre à ce moment-là. Levier fut enthousiaste. Dans quelques mois ils seraient civils. Pourquoi ne s'associeraient-ils pas? Léon apporterait l'idée, et les capitaux. Levier se chargeait de tout le matériel de l'affaire.

Toute la famille marcha. On avait foi en la génialité de Léon : il composait sur le piano sans savoir ses notes. Et puis, comme c'est beau, un jeune noble qui retrousse ses manches, qui aime les ouvriers, qui va de l'avant! Levier donnait toutes garanties, faisait bonne impression. On vit grand. Il ne s'agit plus seulement de l'exploitation d'un agrandisseur; on ferait le commerce des appareils photographiques. Tel mit dans l'affaire vingt mille francs, tel quinze, tel dix. Après deux ans elle était en faillite. Levier, qui était de bonne foi, avait été honnête tant que Léon avait été sérieux. Du jour où Léon, incapable d'application ou seulement d'esprit de suite, d'ailleurs obsédé par la femme, cessa de venir, tourna résolument à l'amateur titré, Levier ne chercha plus qu'à abuser de la situation : et c'est vrai que Léon aurait tenté le bon Dieu par son ignorance et sa naïveté en affaires. Alors Léon publia qu'il ne pouvait plus travailler à côté de Levier, tant l'homme empoisonnait de la bouche; on devine de quelle oreille la famille, dont les plumes tombaient comme neige dans cette bourrasque, entendait de telles raisons. Les agrandisseurs coûtèrent quatre-vingt mille francs-or aux Coantré, non comptés les apports familiaux, qu'on promit de rembourser peu à peu. Précisément, à cette même époque, M. de Coantré consommait la ruine par ses opérations de Bourse. Il en mourut. Mme de Coantré resta, avec soixante mille francs-or de dettes.

Léon, toujours impulsif, voulut se tuer. Les Coëtquidan, outrés contre les Coantré, qui valaient tout cela à leur sœur, ont bien prétendu qu'il le joua. Mais on le trouva la gorge tailladée. Sa mère était folle. Il lui dit : « Je sens que je deviens fou. Il faut que je lâche tout, tout de suite, que je ne pense plus à rien, ou je ne sais pas de quoi je serais capable. Donnez-moi cinq mille francs et vous n'entendrez plus parler de moi pendant deux ans. Je vous jure sur l'honneur que je ne vous demanderai pas un sou pendant deux ans. » Mme de Coantré, qui le voyait se faisant sauter la tête si on n'en passait pas sur-le-champ par toutes ses volontés, lui donna les cinq mille francs.

Il partit. Il n'alla pas en Californie, mais à Chatenay (Seine), où il resta deux ans. Il avait pris pension chez une veuve. Il ne faisait rien, que musarder, chasser, pêcher, bricoler. Dehors toute la journée. Vêtu comme un chemineau. Chaste comme un chat coupé (nous donnerons plus tard le *ralenti* de cette métamorphose). Heureux comme un roi. Comme les *kalenderi* du sofisme, son but principal est de se soustraire aux usages et aux convenances, et de n'avoir aucun souci. Cet homme, fol ou imbécile dans les choses importantes, était toute sagesse et toute prudence dans les minuties. Marquant ses moindres débours, à deux sous près, il ne dépassa jamais de cinq francs la dépense qu'il pouvait se permettre pour le mois. Mme de Coantré allait le voir une fois par mois. Deux fois seulement, en deux ans, il accepta le peu d'argent qu'à chaque visite elle lui proposait.

Les deux ans écoulés, il revint. Que faire de lui? Mme de Coantré songea à le marier : il avait un nom. Il ne refusa pas. Mais il refusait d'aller dans le monde. Il ne voulait épouser qu'une bourgeoise ou une fille du peuple, non pas une noble. Comme sa boîte d'outils ne le quittait plus, Mme de Coantré le trouva un jour en train de faire sauter, à coups de ciseau, couronne et armoiries sur toutes les pièces de son argenterie personnelle. Il lui dit : « Pour solde de tout comte. »

Dans son rôle de prétendant, c'est Triplepatte avant la lettre. Sa pauvre mère se tue à manigancer des entrevues, avec l'aide de la famille; tout le monde est enfin réuni (au prix de quelles sueurs!) : Léon ne vient pas. Il est comme cela : les gens huppés le font voir rouge. Et puis, il faut *s'habiller*, quel supplice! être *à l'heure*, quel martyre! Et, avec tout cela, des traits de désintéressement, des mou-

vements d'honneur, devant lesquels on reste
indécis, ne sachant s'il faut louer ou blâmer. Des
pourparlers sont poussés assez avant avec une riche
famille Duruel. Léon vérifie que ces gens-là, qu'on
trouvait au D dans le *Tout-Paris* de l'an dernier,
sont à l'R dans celui de cette année-ci. Passez, mus-
cade! En vain Mme de Coantré veut-elle le persuader que « c'est très bien quand les familles cherchent à s'élever » : il signifie que tout est rompu;
ces gens-là, pour lui, sont jugés. De grands indus-
triels, de ceux dont le nom est connu dans le monde
entier, ne repoussent pas l'idée de lui donner leur
fille. Entrevue. Mademoiselle a du rouge aux lèvres.
L'anachorète de Chatenay fait une sortie sur les
jeunes filles qui se peignent. Figurez-vous, dans la
société d'aujourd'hui, ce monstre : un homme sans
situation, et qui n'est pas ambitieux, un homme
pauvre, et qui n'aime pas l'argent. Que n'a-t-il assez
de dévotion pour aller au couvent! Mais il s'en
faut de beaucoup qu'il en ait assez. Et quelle place
tiendra un individu qui est dans le siècle, qui n'a
pas d'ambition et qui n'aime pas l'argent? Ambition et cupidité sont les deux jambes de l'homme
du siècle; celui qui ne les a pas est un cul-de-jatte
dans la foule. Nous cependant, qui écrivons ceci,
nous tirons notre chapeau à ce cul-de-jatte.

Cette comédie du mariage dura trois ans. Après
ses deux ans de solitude et de vie pure, il eût fallu
beaucoup de tact pour réconcilier Léon avec la
société. On fit l'impossible pour le dégoûter d'elle
à jamais. Par bêtise. La famille s'employa avec gentillesse, et même beaucoup de gentillesse, si l'on
tient compte des souvenirs que Léon lui avait
laissés. Mais que voulez-vous, ces gens étaient bêtes.
Qu'on pensât de lui ce qu'on voulût, Léon était
un être à part. La famille agit avec lui comme s'il

était un daim de cotillon. Nous nous abstiendrons
de juger les méthodes par lesquelles se font d'ordinaire les mariages, en France, dans la classe sociale
qui nous occupe ici. Léon vit tout cela, et le trouva
hideux. Enfin il proclama qu'il n'épouserait jamais
qu'une femme qui lui plairait, dans une église de
campagne, sans cérémonie, sans invitations, sans
cadeaux; il voulait même se passer des « témoins ».
Mme de Coantré abandonna la partie.

Léon de Coantré, pendant ces trois ans, avait
vécu chez sa mère. De travailler il ne fut pas question. Mme de Coantré pensait qu'il se couperait
la gorge au premier mot qu'elle dirait là-dessus.
Evidemment, le jour où il s'était coupé la gorge,
ou avait fait semblant, il avait eu une fameuse
idée. Ce nouvel état, de vivre sous l'aile de sa mère,
défrayé de tout, et dans une insouciance de petit
garçon, fut de son goût. Il ne demanda qu'à le
conserver. Il le conserva vingt ans.

L'opinion fut sévère pour lui. Avoir gâché ses
dons, contribué pour moitié à la ruine de sa mère,
et être là, jeune et bien portant, à vivre aux crochets de cette mère, qui joignait difficilement les
deux bouts!

L'opinion était sévère à l'excès, et voici pourquoi. Devenue veuve et dans une situation fort
anémiée, au matériel et au moral, par ailleurs
privée de sa fille, qui venait d'épouser (assez bien)
un ingénieur, M. de Bauret, Mme de Coantré avait
quitté son hôtel de la rue de Lisbonne, et était
venue s'installer dans un pavillon du boulevard
Arago. Il y avait là un jardinet. Léon se voua au
jardinet. Complet d'ouvrier en velours brun à côtes,
savates, tablier bleu, jamais de faux col : c'était
Chatenay retrouvé! Bientôt il s'attribua d'autres
fonctions : il entretenait le poêle, montait le

charbon de la cave, repeignait les murs; même il se chargea de frotter les parquets. On dira qu'il le faisait pour son plaisir, et cela est vrai : dans cette vie dénuée de toute pensée, de tout souci, de toute contrainte sociale, de toute responsabilité, il était heureux; M. de Coantré pouvait être noble, et comte, et chef d'armes, il avait pu exceller dans les vers latins, musiquer et peindre sans avoir appris, inventer un agrandisseur photographique : sa véritable vocation était d'être homme de peine. Mais le fait reste que les services qu'il rendait étaient de ceux qu'à son défaut il eût fallu payer. Quand Mme de Coantré fut bien assurée qu'il n'y avait pas là une nouvelle lubie de sa part, que cela durait, elle supprima la femme de chambre, ne garda plus que sa cuisinière et une femme de ménage.

A la lettre, pendant vingt ans, M. de Coantré ne sortit plus de la maison du boulevard Arago. Les visites du jour de l'an, les enterrements de membres de la proche famille (il n'allait à aucun mariage) furent ses seuls contacts avec le monde extérieur. Durant vingt ans, pas une fois il ne sortit après dîner. Il y eut certaines années où, de toute l'année, il ne franchit pas cinq fois la grille du jardin. Malgré la muette supplication de sa mère, il n'allait pas faire ses Pâques; n'empêche que si vous aviez dit devant lui un mot contre la religion, il vous eût arraché les yeux. Pour n'avoir plus à se peigner, il se fit couper les cheveux à la tondeuse, ou quasiment; pour n'avoir plus à se raser, il laissa pousser sa barbe. Il gardait quinze jours sa chemise (une chemise de travail, kaki). Un temps vint où il ne se savonna plus que le dimanche; les autres jours, il se passait seulement une serviette mouillée sur le bout du nez, ce qui est dans une grande tradition.

Mme de Coantré laissait faire. C'était une femme usée. Elle avait lutté avec son mari, lutté avec son fils, lutté avec sa famille, lutté avec les créanciers : elle ne voulait pas lutter encore pour forcer son fils à se laver. A présent. il était inoffensif, il se rendait utile comme il pouvait, le pauvre garçon. Elle voyait toujours sur la gorge de Léon cette cicatrice... Elle se disait que pour un mot de tels drames pouvaient renaître, et que Léon était quel-qu'un qu'il ne fallait pas réveiller.

Par à-coups, en effet, il la traitait de façon pres-que odieuse. Léon avait la bonhomie, la jovialité, et la bonté superficielle des Coantré. Mais, quand un homme n'a en lui qu'une seule goutte de méchanceté, c'est pour son vieux père ou sa vieille mère que précieusement il la tient en réserve. Quelquefois, Léon n'éclatait contre sa mère que par exaspération nerveuse : quand il entendait le petit froissement des grains de son chapelet, ou quand elle montrait un visage plus lugubre que de coutume. Cela surtout était réglé : aussitôt qu'il la voyait souffrir, on eût dit qu'il se jetait sur elle, lui montait dessus. la piétinait, lui picorait le crâne jusqu'au sang, comme fait la poule à une autre poule, quand elle la voit blessée. Mais, le plus sou-vent, c'était, en principe, pour son bien qu'il lui faisait une scène. Par exemple, si elle avait refusé de voir le médecin, ou si, contrairement aux pres-criptions de cet homme, elle n'avait pas assez mangé à table (faisant disparaître dans sa serviette, avec la pauvre puérilité des vieillards, quelques morceaux de la viande crue qui lui était ordonnée).

Il est à peine besoin de dire que ces algarades faisaient à la santé de Mme de Coantré beaucoup plus de mal qu'elle ne s'en était fait en escamotant un peu de sa viande crue. Ensuite, Léon, impulsif mais bon cœur, venait lui demander pardon, les larmes aux yeux; mais le coup était porté. Cette absurdité de Léon, faisant du mal à sa mère par amour ou soi-disant amour d'elle, avait son comble dans une scène qui se reproduisait fréquemment. Il arrivait que Mme de Coantré, en plein jour, s'endormît sur son fauteuil. Léon, quand il voyait le visage ravagé de la vieille dame, les yeux clos, la bouche ouverte, ne pouvait le soutenir, soit que cela lui suggérât ce qu'elle serait bientôt dans la mort, soit que, par faiblesse d'esprit, il crût que c'en était fait, qu'elle était morte, et il la réveillait avec un cri angoissé : « Maman! »; si elle ne s'était pas éveillée du premier coup, il l'eût secouée avec rudesse. Or, Mme de Coantré était dévorée la nuit par d'affreuses insomnies, et ces bribes de sommeil diurne auraient dû être pieusement respectées. Mais c'est ainsi que les traitait Léon, dans son impuissance à dominer son imagination et ses nerfs.

Et M. Elie, cet autre phénix? Eh bien, M. Elie vivait toujours entre sa sœur et Léon. Et nous allons dire ce qu'il était devenu.

Que penser de l'espèce de malédiction qui semble envoûter ces deux hommes? Est-ce l'ombre, étendue sur eux, du vieux Coëtquidan? Est-ce le fait que l'un et l'autre vivent sous l'aile de Mme de Coantré, retranchés de tout l'humain, et dans des conditions qui ne seraient bonnes que pour les ouvriers d'une grande pensée ou d'une grande œuvre (et encore, pour certains d'entre eux seulement)? Nous allons voir la vie de l'oncle prendre et suivre la même courbe que suivra plus tard celle de son neveu. N'est-ce pas qu'il y avait quelque vice dans la machine qui propulsa ces vies?

Recueilli dès la vingtième année par sa sœur, selon le vœu de leur père, Elie cessa de s'occuper de quoi que ce fût au monde, qui n'était pas ses paperasses. Il éblouissait la famille par l'étendue de ses connaissances. La famille était bien incapable de faire le départ entre l'instruction et l'intelligence, et de se rendre compte qu'Elie était un imbécile doué d'une bonne mémoire. Cette sorte d'animal-là va loin dans la société, et Elie, comme son frère, eût pu devenir important, si son extravagance Coëtquidan, ne trouvant pas de contrepoids dans la réalité, puisqu'il en vivait à l'écart, n'avait rapidement dévoré le peu qu'il avait de valeur. Or, à la naissance de Léon, les Coantré, voulant s'élargir, déménagèrent et, de la rue de Bellechasse où ils habitaient, allèrent vivre rue de Lisbonne. Un matin, Mme de Coantré s'aperçut que son frère restait à la maison, au lieu d'aller au cours des Sciences politiques comme il faisait auparavant chaque jour. Elie, questionné, s'expliqua : il ne pouvait plus aller aux Sciences politiques, parce que la rue Saint-Guillaume était trop éloignée du Parc Monceau. « Je ne peux pas faire une heure et demie de *bus* (d'omnibus) par jour. » Sa sœur, puis son beau-frère, puis son frère s'efforcèrent de le persuader de la folie qu'il commettait en brisant son avenir pour une telle puérilité; il s'était encoigné là-dedans, et jamais n'en sortit. (Il ne fut pas question de lui donner une chambre près de la rue Saint-Guillaume, puisque Mme de Coantré avait fait à son père la promesse solennelle de le garder chez elle tant qu'il ne serait pas marié.) Ainsi les excentricités d'Elie préfiguraient, vingt ans à l'avance, celles mêmes avec lesquelles Léon ruinerait sa propre vie, et jusqu'à l'insanité des raisons qu'il en donnerait.

Là-dessus, les esprits forts, qui vous expliquent toujours les actes des hommes par des motifs dis-

tingués, vous diront que cela n'est pas possible,
que la raison invoquée par Elie était un prétexte,
qu'il y avait autre chose. Mais non, il n'y avait
rien d'autre. M. de Coëtquidan renonça à être
jamais important, parce qu'il ne voulait pas faire
une heure d'omnibus par jour.

Dès lors, du jour au lendemain, Elie commença
de ne rien faire. C'est en 1903 que Léon, à Chatenay, se mettra carrément à cette occupation. Dès
1880, Elie lui avait montré la voie. Et voici comment ce phénix organisa son néant.

Il se réveillait à neuf heures, et restait au lit jusqu'à dix heures et demie, lisant, tripotant les chats,
et se farfouillant dans le nez. A onze heures, il faisait un tour dans le quartier jusqu'à l'heure du
déjeuner, et alors rentrait. Après le déjeuner, il
lisait un peu, puis se promenait dans Paris de trois
à sept, bouquinant chez les revendeurs, et allant
de café en café. Jamais il ne prenait un repas au
restaurant, malgré l'envie qu'il en avait parfois,
parce que sa pension était payée à la maison.
Jamais il ne fit un voyage de huit jours. Jamais
il ne sortait le soir, et jamais n'était invité. Par sau-
vagerie et horreur de se contraindre, il avait quitté
le monde, n'avait plus été voir les gens qu'aux
heures où il savait ne les trouver pas; ensuite,
comme il arrive, le monde le quitta, et tandis qu'au
début, il n'y allait pas par fantaisie d'humeur, un
temps vint où s'y ajouta cette raison, qu'il craignait d'y être humilié.

Sa conversation était un tissu d'insanités. Toutefois, — et cela est grave, — pour quatre ou cinq
insanités qu'il disait, il y avait un jugement frap-
pant de justesse. Prenant presque toujours le
contre-pied de l'opinion commune, comme elle
divague tant et plus, il était fatal que de temps

en temps il rencontrât par hasard une vérité, qu'un autre qu'un « original » eût manquée. Il avait une sorte de génie pour s'habiller d'une façon impossible, mais il s'en rendait compte, et y persistait par goût du sordide; dans les mariages et les enterrements de sa famille, il restait près du banc des pauvres, disant que « avec sa dégaine, on n'aurait pas voulu de lui comme ouvreur de portières ». La pauvre vie de Léon de Coantré — régiment, bonniches, agrandisseurs, créanciers, jungle de Chatenay-sous-Bois — est une véritable geste romanesque et épique, comparée à la vie de M. de Coëtquidan, où rien ne se passa jamais. Durant quarante ans, M. de Coëtquidan se leva à dix heures et demie, tripota les chats, lut les journaux, et approfondit la technique du vermouth, au cours d'innombrables méditations chez Scossa, Perroncel et Weber. Sa disposition ordinaire était celle que nous éprouvons, au bureau de poste, quand nous attendons notre tour, et qu'il y a avant nous un galapiat qui apporte de chez son patron une dizaine de paquets à recommander; cette disposition était la fureur, et la démangeaison d'insulter.

M. Elie, en effet, était mauvais, comme son père. Quand il voyait une affiche : « Vente par autorité de justice », cela lui faisait plaisir; quand il lisait dans le journal la nouvelle d'une catastrophe : « Encore quelques Jeanfoutres de moins! » Sa haine (à cet oisif!) pour les gens qui prenaient un congé. Sa haine (à ce raté!) pour les gens qui n'avaient pas réussi. Il pinçait à la dérobée les enfants dans la cohue des grands magasins, ou bien, assis sur le banc d'un square, il les laissait d'abord le frôler dans leurs courses, puis soudain allongeait la jambe et le gosse s'étalait. Mais ce chevalier sans emploi n'usait du ton de dompteur que lorsqu'il pouvait le faire impunément; il ne domptait que les garçons de café, qui ne peuvent pas répondre, et les chats; il eût insulté aussi au téléphone, s'il avait pratiqué cette mécanique, mais de sa vie il ne le fit une seule fois; enfin il insultait par lettres. Car sa hargne perpétuelle était combattue par la timidité, congénitale chez les Coëtquidan, que Coëtquidan l'ancien jugulait à force de méchanceté, et M. Octave à force d'argent, mais qui, loin d'être jugulée par quoi que ce fût chez M. Elie, était aggravée chez lui par deux sentiments, les plus paralysants qui soient : la conscience qu'il était mal habillé, et la conscience qu'il était nul sexuellement.

Tous les Coëtquidan, de ce dernier point de vue, étaient froids. M. Elie n'était pas froid précisément, il avait même l'imagination gauloise; seulement il ne terminait pas. Mais, comme nous devons le faire pour Léon, c'est plus loin que nous examinerons l'attitude de M. Elie à l'égard de l'être adorable.

Son mari mort, sa fille mariée et vivant de son côté, c'est donc entre son frère et son fils, dans le pavillon du boulevard Arago, que la guerre surprit Mme de Coantré. M. de Bauret fut tué dès le début, sa femme lui survécut peu : dur coup pour Mme de Coantré. Avoir recueilli son frère et son fils ne lui suffit pas, elle offrit de recueillir sa petite-fille. Mais Simone de Bauret, qui avait dix-sept ans, et promettait d'être une vraie jeune fille d'après-guerre (nous nous comprenons), refusa net de s'enterrer vive avec ceux qu'elle nommait *les deux magots*, et alla vivre en Bretagne auprès d'une vieille mais riche cousine, qui l'avait prise en affection.

M. Elie n'était plus mobilisable. Léon, on ne

sait trop pourquoi, était réformé. Son héroïsme tut
modeste : il offrit ses services à un hôpital auxiliaire de Paris. Mais il n'est pas exagéré de dire
que, pour se tirer de sa coquille Arago, il dut
prendre sur lui plus que beaucoup de combattants
ne devaient prendre sur eux pour se tirer de la
tranchée; c'est pourquoi nous parlons d'héroïsme.
Les sentiments de M. de Coantré à son hôpital
peuvent être résumés ainsi : profonde amitié et
parfait dévouement pour les blessés, parce que
c'étaient des gens du peuple; haine pour les infirmières, le gestionnaire, les visiteurs, bref, pour
tout ce qui appartenait à la classe aisée. Ce qui est
étrange, c'est que, malgré tout ce qu'ils auraient
pu penser de cet homme en bonne santé et à l'abri,
titré, pauvre, follement incompétent, traité de haut
par le personnel, et en somme assez ridicule, les
soldats l'aimaient bien.

Léon, zélé, méticuleux, et encore assez adroit
de ses mains (bien que cela ne fût pas comparable
à sa dextérité d'autrefois), rendit de menus services
comme aide-infirmier pendant trois semaines. Puis,
à la suite de quelques gaffes qu'il commit, on le
condamna à un supplice chinois : on ne lui donna
plus rien à faire, mais ce qui s'appelle rien. Il errait
de salle en salle, les bras ballants, se sentant à
charge à tous, se faisant tout petit comme pour
peser moins, à la manière d'un homme dans une
barque surchargée, et au point de n'oser plus lever
les yeux, devinant les brocards derrière son dos,
voyant les visages soudain se tendre et se fermer
quand on l'apercevait, se disant cependant que
c'était là sa part de guerre, qu'elle était bien douce,
et qu'il fallait supporter.

Cette situation donna lieu à une scène assez belle.
Un blessé, caporal, et qui en plus d'un endroit était

bien loin de M. de Coantré — c'était un institu-
teur, et sorti du plus bas, — lui dit, un jour qu'ils
se trouvaient seuls un moment sur la terrasse :
« Monsieur de Coantré, me permettez-vous de vous
donner un conseil? Eh bien, ne restez pas ici. Vous
comptez pour zéro à l'hôpital. Tout le monde, dans
les huiles, est contre vous. Un de ces jours on va
vous faire une avanie. Partez donc avant. » Léon
pesa cela, et, le lendemain, demanda à l'infirmière-
major qu'on lui donnât du travail, faute de quoi
il reprendrait sa liberté. « Mais certainement, on
va vous donner du travail », dit Mlle Kahn, avec
son sourire le plus gracieux. Après un instant, la
plus jeune des infirmières (dix-sept ans) mettait
dans les mains de Léon un balai et lui disait de
balayer la salle. Il balaya la salle, puis alla dire
adieu à chacun des blessés, et ne revint plus. Mais
il vendit (à vil prix) un assez beau presse-papier
en argent, qu'il avait, et avec la somme leur fit
envoyer des cigarettes.

Mme de Coantré avait passé vingt ans à battre
des ailes, comme un oiseau au-dessus duquel tour-
noient les rapaces. Les rapaces, c'étaient les créanciers. Elle pâlissait quand on sonnait, gardait douze
heures dans un tiroir certaines lettres reçues, sans
les ouvrir. « Il faut jouer serré », ou « Il faut
frapper un grand coup », entendait-on dire quelquefois à la pauvre femme. Ce sont des mots parti-
culiers aux victimes : elle n'avait pas plus de
défense contre l'incroyable malice du monde, que
n'en a la surface de l'eau contre la pierre qu'on
y jette. Elle avait connu les hommes d'affaires mal
rasés, qui lui parlaient la cigarette à la bouche,
— l'indécent galimatias judiciaire, honte d'une
nation civilisée, — les notes d'avoués où il y avait
des « droits de correspondance » qui se montaient

à quarante francs. et des « frais de papeterie » à
cinquante, tandis que les « conclusions » et les
« constitutions » ne coûtaient que vingt sous, —
les parents avocats à qui on tient la jambe sans
bourse délier, pendant trois ans, mais la quatrième
année, mal satisfaits du faux Sèvres par lequel vous
avez prétendu les remercier, ils vous laissent en
plan au milieu d'affaires plus inextricables et plus
redoutables que la forêt de Bondy, — les « consul-
tations » qu'on demande à des nababs de la chi-
cane, avec l'espoir qu'ils vous appuieront dans la
voie où vous vous êtes engagée, mais ils vous en
dissuadent et cependant on s'enfonce dans cette
voie, par horreur de tout reprendre de l'alpha dans
une autre, — les décisions d'où dépend votre fortune en entier, et qu'il faut qu'on prenne dans le
quart d'heure, non pas qu'il y ait là une nécessité
matérielle, mais simplement parce qu'il ne faut
pas retenir trop longtemps l'avocat-conseil, qui n'a
pas que vous en tête; — enfin elle connut le cal-
vaire que c'est de n'être pas insolvable, la caverne
d'honnêtes gens qu'est le monde, l'indifférence et
l'épouvantable légèreté des hommes aux mains de
qui l'on remet sa fortune, et avec elle sa santé et sa
vie, indifférence et légèreté qu'on ne peut comparer
qu'à celles des médecins. Tout cela la dévora
vivante.

Quand les médecins dirent à Léon que sa mère
tirait à sa fin, il s'adoucit avec elle, et la soigna parfaitement. Cependant, sa mort fut en partie esca-
motée pour lui par la lutte qu'il dut soutenir avec
la garde qu'on avait engagée. Cette garde mangeait tout le temps, trait particulier à tous les sala-
riés appelés au chevet des moribonds, redemandait
du vin, s'impatientait parce que Mme de Coantré
ne passait pas assez vite. Comme les médecins

avaient décidé que Mme de Coantré n'irait pas
au-delà du 14, et que le 17 elle respirait encore, la
garde eut un mot assez beau : « Pauvre Mme de
Coantré! Qu'est-ce qu'elle fait donc! » (Entendez :
où a-t-elle la tête? elle ne voit donc pas qu'elle nous
fait attendre?) Tout cela, la garde se le croyait permis, étant une vieille amie de la famille. La haine
de Coantré pour la garde était aggravée d'une dramatique jalousie parce que, dans ces instants
suprêmes, sa mère parlait à la garde plus souvent
qu'à lui. Bref, si l'on n'ose dire que la mort de
Mme de Coantré passa presque inaperçue dans la
lutte entre Léon et la garde, au moins peut-on dire
qu'elle en perdit de son acuité.

Sa mère morte, Léon dut prendre en main la
maison. Cet homme qui depuis vingt ans n'avait
eu ni une responsabilité ni un souci!

Il s'en tira, mais en se donnant un mal hors de
toute proportion avec cette tâche simple. En huit
jours, son visage changea, il lui vint des bouffis-
sures sous les yeux, il avait des rêves chaque nuit;
un président du Conseil se sent moins accablé.
Quelquefois, tellement désemparé par le nombre
des soucis qu'il se faisait, il n'y tenait plus, renonçait à tout, et allait ratisser le jardin, ou se mettait
à repriser ses chaussettes. En même temps, il était
aux prises avec la succession de sa mère. On a vu
en quoi elle consistait. Quand le principal de
maître Lebeau demanda à Léon et à sa nièce, après
leur avoir exposé la situation lamentable, s'ils
acceptaient ou refusaient la succession, Léon sursauta : refuser la succession de sa mère! Il eut plus
tard un autre mouvement de bonne race. Alors
qu'il savait déjà qu'il ne lui resterait à peu près
rien, il déclara à sa nièce qu'il lui donnerait, bien
que strictement il n'en eût pas le droit, et bien que

ce geste fol pût les faire déchoir du bénéfice d'inventaire, la totalité des meubles qui lui revenaient de Mme de Coantré. Cela ne valait pas cher, la prisée avait donné vingt mille francs pour le tout (Mme de Coantré avait fait réduire la police d'assurances de quinze à douze, puis à dix mille, par mesure d'économie), mais l'argent qu'il eût tiré de ses meubles, dans le dénuement où il se trouvait, lui eût sauvé la vie. Ni Mlle de Bauret ni lui-même ne réalisèrent le désintéressement presque insensé de ce geste, qui au surplus ne fit nul plaisir à la jeune fille. Ce sacrifice fut entièrement perdu, en bon sacrifice qu'il était.

Puisque nous en sommes aux mouvements de bonne race, il en faut citer un de M. de Coëtquidan : on ne verrait pas le fond des *deux magots*, si on ne les tenait que pour des fantoches. Peu de temps avant la mort de Mme de Coantré, une nuit, Léon de Coantré entendit du bruit dans la maison. Il se leva; plus de doute, il y avait quelqu'un au rez-de-chaussée. Jambes nues, il se glissa chez sa mère, qu'il trouva assise dans son lit, les yeux dilatés de terreur. Là-dessus, Léon de s'enfermer à double tour avec sa mère, dans la chambre de celle-ci, et de se tenir coi, panet au vent. Que les cambrioleurs déménagent les portraits d'ancêtres, toute la maison, si cela leur chante! Quant à notre bon oncle, qui habite seul au premier, on l'abandonne à son triste sort!

Pendant ce temps, avec la plus grande simplicité, le sexagénaire passait son pantalon, empoignait un couteau de table qu'il avait monté la veille dans sa chambre, parce qu'il avait voulu manger une poire avant de se coucher, se postait sur le palier, et attendait : quelquefois apparaissent les avantages qu'il y a à être méchant. Lui aussi

il abandonnait au cambrioleur le rez-de-chaussée.
Mais, si l'homme montait, il trouverait un Coëtquidan à qui parler.

Après un moment, il aperçut une ombre dans
l'escalier, et se vit soudain nez à nez avec le visiteur. « Hein? » dit-il, mot admirable, et qui jette
le plein jour sur son sentiment : l'indignation qu'on
lui manquât. Le visiteur devait être novice, à moins
que le descendant des croisés, qui de jour était
déjà un spectacle assez effrayant, de nuit, et le couteau en main, ne fût pis que le grand Alcofribas :
le visiteur fit demi-tour et dégringola l'escalier.
Ainsi M. Elie que, dans ce récit, nous verrons
timide, pusillanime, et en plus d'une circonstance
moralement lâche, avait le courage physique. Il
ajouta même au mérite de sa conduite celui de n'y
faire aucune allusion devant Léon. Mais il n'en
pensait pas moins, et jubilait dans sa barbe, comme
s'il y avait eu là un véritable *jugement de Dieu*,
qui prouvait, clair comme jour, ce qui était prouvé,
bien sûr, par les archives mais qu'il n'était pas
mauvais qui fût prouvé une fois de plus par les
actes quotidiens : que les Coantré étaient de la
crotte de bique auprès des Coëtquidan.

III

Le baron Octave de Coëtquidan, sortant de table (il avait déjeuné seul, sa sœur, qui vivait avec lui, ayant déjeuné en ville), était assis dans un rocking-chair, et il lisait le *Daily Mail*. « Lisait » est une façon de parler, car il ne savait pas l'anglais. Allons, n'exagérons pas : il en savait quelques mots. Mais le baron professait qu'on ne connaît rien de la politique française si on ne lit pas les journaux anglais ou américains. Il avait près de lui une tasse de café, mais il ne fumait pas.

C'était un homme de haute taille, entièrement rasé, les cheveux blancs coiffés en courte brosse, et aussi soigné de sa tenue que son frère l'était peu. Cependant, si nous avons marqué au début de ce livre que M. Elie était vêtu « comme personne », le baron avait lui aussi — mais cette fois dans le genre noble — un habillement assez singulier à la fois pour son âge, pour son état, et pour la saison. En ce mois de février parisien, fait, semble-t-il, pour les habits sombres, il portait un complet gris très clair, aux bas de pantalon relevés, et dont les épaules étaient taillées à l'américaine, ce qui était alors une rareté, la mode n'en devant commencer que deux ou trois ans plus tard. Un col mou blanc, un nœud papillon en toile blanc,

noué avec une négligence étudiée, de très belles
bottines jaunes à lacets (faites sur mesure, payées
trois cents francs, et « culottées » avec amour jusqu'à la *genuine* teinte marron d'Inde), des chaussettes de laine blanche, comme son frère (les fameux pieds sensibles des Coëtquidan!). Pas de
bague, pas de chaîne de montre, pas de boutons de
manchettes (sa chemise était une chemise molle
aux boutons de nacre). Au revers du veston, la
rosette rouge, dans le plus petit modèle qui soit
mis en vente, et qui cependant avait provoqué une
mémorable scène quand M. de Coëtquidan l'avait
achetée après sa promotion, le baron protestant
qu'elle était « d'une grosseur répugnante », et fei-
gnant de vouloir commander des rosettes invisibles
à l'œil nu, qu'on fabriquerait exprès pour lui. Car
M. Octave avait toujours eu la rage de ne pouvoir
se satisfaire des objets « modèle courant », et faisait faire sur des plans à lui tantôt un veston de
chasse en velours violet d'évêque, ou un veston de
plage à boutons dorés, tantôt une corbeille à
papiers en treillis de métal mais de-dimensions-qui-
n'existaient - dans - le - commerce - que - pour - les -
corbeilles-d'osier, ou des tendeurs de pantalons abso-
lument sensationnels, d'un modèle qui était abandonné depuis 1840, bien qu'il fût le seul efficace,
ou une valise d'une forme mystérieuse, qui devait
pouvoir être acceptée dans le filet d'un compartiment, tout en ayant une contenance bien supérieure à la valise la plus grande qui soit régulièrement admise dans ce filet : tous objets qui, soit
parce qu'à l'usage ils se révélaient indéfendables,
soit parce que le baron percevait bientôt qu'ils
le rendaient ridicule, finissaient par échoir, après
avoir servi deux ou trois fois, au valet de chambre
ou au chauffeur, et permettaient ainsi au baron de

faire d'une pierre deux coups, en donnant la preuve, avec un seul veston violet d'évêque, de la singularité de son âme ensemble et de sa magnificence.

A voir ainsi costumé le baron Octave, membre du conseil d'administration de la Banque Latty, officier de la Légion d'honneur, on se disait, ou qu'il devait être un homme à génie original, ou qu'il y avait là une composition de personnage, analogue à celle de l'acteur qui se fait une tête. Cette dernière hypothèse était la bonne.

Dans cet homme important, qui par son argent, mais plus encore par sa situation, avait voix au chapitre dans des intérêts assez considérables, il y avait un peu de la puérilité de son frère, fruit d'une même éducation complètement hors de la vie. M. Elie, selon les époques de sa vie, ou seulement les heures de la journée, s'était cru, se croyait tantôt un officier, tantôt un nemrod, tantôt un homme à femmes, etc. Souvent, même, son idéal était beaucoup plus modeste. C'est ainsi qu'un vieux camarade, le rencontrant un jour dans la rue, et le voyant s'arrêter progressivement, puis repartir de même, puis s'arrêter encore, tout en faisant tourner sans arrêt la poignée de sa canne, lui avait dit : « Mais, Elie, qu'est-ce que tu fabriques donc là, mon vieux? » Et M. Elie, tournant avec énergie la poignée de sa canne, lui avait jeté au passage, sans s'arrêter tout de suite : « Fais donc attention! Laisse-moi au moins mettre le frein. » A ce moment-là, M. Elie se croyait un tramway. Eh bien, le baron Octave, sur un plan plus élevé, faisait joujou, lui aussi. Il jouait à l'*homme moderne*, — à l'homme moderne avec la nuance « genre américain ».

L'espèce d'excentricité profonde qui était dans le

caractère des Coëtquidan s'était fait jour en lu; vers
vingt-cinq ans sous cette forme : je serai l'homme
moderne de la famille. Très vite, cela s'était
compliqué d'américanisme. Ce parti pris avait
déterminé ensuite tous les sentiments et toutes les
attitudes du baron. Par exemple, il l'avait poussé
à aimer ou feindre d'aimer le régime, la démocratie; à dédaigner ou feindre de dédaigner la
condition; à s'intéresser ou feindre de s'intéresser
au mécanisme des affaires, à la vie économique; à
négliger légèrement ou feindre de négliger légèrement l'Etre suprême, et jusqu'à affecter une pointe
de voltairianisme. Encore sommes-nous là dans les
hauteurs. Mais ce parti pris s'étendait aussi aux
choses les plus petites. Etre un homme moderne,
nuance Etats-Unis, expliquait aussi pourquoi la
table du baron était systématiquement au-dessous
de tout (un homme d'affaires doit avoir l'esprit
libre, et par conséquent l'estomac libre; la gour-
mandise est d'ailleurs un goût « du passé »); pourquoi on « faisait » soi-même ses chaussures (un
homme à la page doit pouvoir se débrouiller tout
seul; à la vérité, c'était Papon, son domestique, qui
mettait le cirage et donnait le coup de brosse,
M. de Coëtquidan ne donnant que le coup de
chiffon final); qu'on eût un rocking-chair, où l'on
était au martyre, craignant toujours de basculer
en arrière, mais qu'on avait vu, dans des images
de 1875, qui était un siège américain; qu'on cor-
respondît pour un rien par pneu ou par dépêche,
comme si on voulait, par la rapidité de cette com-
munication, regagner les cent ans de retard qu'on
avait par la naissance, etc. Tout cela, outre les
délices qu'il éprouvait à se mettre à part, donnait
au baron l'agrément d'exaspérer sa famille, agrément où se satisfaisait cet esprit de fronde qui est

un des traits de la noblesse bretonne. M. Elie, lui aussi, exagérait à plaisir le côté mendigot de son habillement, dans le seul but d'ennuyer son frère et ses sœurs.

M. de Coëtquidan s'était élevé à la situation qu'il occupait grâce à l'amitié profonde qui le liait depuis le collège à M. Héquelin du Page, aujourd'hui président du conseil d'administration de la banque Latty. Ses capacités en affaires étaient plus que douteuses. Malgré son importance, c'était un homme qui partageait avec son frère et son neveu l'ignorance des conditions véritables de la vie, et l'incapacité à s'y adapter; il vivait principalement dans l'idée qu'il se faisait de soi-même. La règle est que, environ la vingtième année, un homme se mette des œillères, et puis, sa vie durant aille droit devant lui comme une brute. M. Octave n'avait pas failli à cette règle. On sait le dur mot de Michelet sur Molière : « Molière ne connaissait pas le peuple. Mais que connaissait-il? » On eût pu le dire du baron, aussi bien que de son frère : « Que connaissaient-ils? »; leurs préjugés et leurs manies les recouvraient comme d'un vernis qui empêchait tout contact entre eux et le monde extérieur. On a voulu que le mot de Marie-Antoinette : « S'ils n'ont pas de pain, qu'ils mangent de la brioche », fût un mot odieux. C'était peut-être, simplement, que Marie-Antoinette croyait que la brioche coûtait le même prix que le pain. M. Octave pensait que le Papon le volait quand, après un après-midi de courses à travers tout Paris, le Papon lui disait qu'il avait eu quatre francs de tramways : quatre francs pour des tramways, est-ce possible!... Avec tout cela, d'être parvenu par relations à l'importance, le baron se croyait autorisé à prétendre au *self made man*. Il disait avec emphase qu'il était « parti de rien ». Tant nous trouvons de biais pour caresser nos lubies.

M. de Coëtquidan, en tout, se conduisait par des principes. Il s'y embrouillait d'ailleurs merveilleusement. Par exemple, quand il faisait quelque chose qui l'ennuyait, il croyait qu'il faisait son devoir. Il disait encore : « Si je ne faisais pas ce qui m'ennuie, je ne ferais rien du tout. » On épuiserait là-dessus un plein stylo de pensées profondes.

M. de Coëtquidan était donc en train de « lire » le *Daily Mail*, quand le Papon annonça M. de Coantré. M. de Coantré entra, et, en serrant la main de son oncle, s'inclina de trois pouces de trop, comme ferait un gérant.

C'était un tout autre M. de Coantré que celui que nous avons vu, en loques, au début de ce récit. Il portait un complet gris sombre, de bonne étoffe et fort propre; ce complet datait de 1905 et par la coupe « faisait » très vieux monsieur, mais cela ne choquait pas sur un homme de son âge. Ce qui, par exemple, était, sinon ridicule, au moins extraordinaire, c'était la hauteur de son col empesé, d'une forme qui, elle aussi, avait été à la mode il y a une vingtaine d'années; et au-dessous de ce col une cravate-plastron en soie noire, où était plantée une dent de cerf. Ses manchettes empesées, et fendillées par l'usage, comme un vieux visage par des rides, étaient des manchettes détachables. Mais c'étaient peut-être ses bottines qui criaient le plus éloquemment leur date de naissance, 1900 ou 1905 : des bottines à boutons, carrées du bout, et longues, longues, longues comme des chaussures à la poulaine. Bottines et costume étaient d'ailleurs de bonne qualité, et presque dans leur neuf, malgré leur vingt ans d'âge, M. de Coantré ne les portant

que deux ou trois fois l'an, et les entretenant avec
le dernier soin.

M. de Coantré avait laissé dans l'antichambre
un paletot court (de la forme appelée dans la
famille un *rase-pet*) à col de velours, et une canne
à poignée argentée et orfévrée, très 1900, elle aussi.
Mais, selon les usages en vigueur dans sa jeunesse,
il avait gardé son chapeau melon à la main, ainsi
qu'une paire de gants que, s'étant maintenant assis,
il avait prudemment étendus dans le creux de la
bordure du chapeau, pour la raison suivante : cette
paire de gants était composée de deux gants de la
même main; M. de Coantré prétendait que, en les
tenant à la main, cela ne se voyait pas. C'étaient
des gants de deuil, M. de Coantré, depuis vingt ans,
n'ayant jamais eu l'occasion de porter des gants
ailleurs que dans les enterrements de famille. Et
ils avaient cette platitude piteuse, cette apparence
hors de la vie qu'ont les gants qui n'ont jamais
été chaussés.

A peine M. de Coantré était-il assis que le baron,
avec cette décision qu'on lui voyait dans les
conseils, cet air de dire : « Messieurs, ne nous éga-
rons pas! » (décision tout artificielle, par laquelle
il masquait sa timidité), aiguilla la conversation
dans le sens qu'il désirait. Désignant le *Daily Mail*,
il dit, d'une voix composée :

— Tu as lu le magnifique discours d'Herriot?

M. de Coantré eut bien conscience qu'il y avait
là aiguillage. Lui aussi il aiguilla :

— Ma foi, non. En ce moment, *avec tous les
soucis que j'ai*, je n'en ai guère le temps.

Mais M. Octave feignit de ne pas comprendre,
et s'engagea résolument sur son rail.

— Tu feras bien d'acheter *le Temps* en sortant.
Il faut lire ça. De tout premier ordre.

« Dans quel rêve il vit! se disait M. de Coantré. Le rêve où vivent ceux qui ont de l'argent. » (Oui, seulement ceux qui n'ont pas d'argent vivent dans un état qui est pire qu'un rêve : une obsession. De rien on ne peut leur parler d'une façon désintéressée; à propos de tout, ils vous ramènent à leur pain.) Mais il se sentait plein de courage, et se jeta à l'eau.

— Pour vous parler franc, l'oncle Octave, je n'ai guère l'esprit à la politique. J'ai vu Lebeau il y a deux jours. Nous avons calculé ensemble ce qui allait me rester, et nous avons trouvé que, quand j'aurai payé l'étude, il me resterait six mille francs. Six mille francs, *en tout et pour tout*, et cela en admettant qu'il ne tombe pas une nouvelle tuile.

— Tu sais, Lebeau est pessimiste par principe, dit le baron.

M. de Coantré reconnut le génie de son oncle, qui était le génie de se refuser à regarder en face les situations ennuyeuses.

— Mais, l'oncle Octave, il ne s'agit pas d'être optimiste ou pessimiste! Ce sont les chiffres, et il n'y a pas à sortir des chiffres.

M. Octave eut un petit rire.

— On fait dire aux chiffres ce qu'on veut. Crois-en un vieux banquier! Moi, en 19, à l'exercice...

Il raconta comment il avait falsifié un bilan. Son visage, naturellement fin, prit de ce fait une expression tout à fait remarquable, transfiguré et comme spiritualisé par la pensée qu'il avait dupé son prochain. Il est facile de vérifier chez les animaux, par exemple dans un chenil, que les sujets les plus intelligents sont toujours les plus méchants.

Mais tout cela n'avait aucun rapport avec la situation financière, trop simple, hélas, de M. de

Coantré. « Me permettez-vous de vous résumer la chose? J'ai là un petit papier... », dit le comte, sentant faiblir son courage. Et il sortit le papier qu'il avait, deux jours plus tôt, placé sur la table de M. Elie.

— Vas-y, dit M. Octave, avec une sorte de jovialité, en homme qui a pris son parti. Seulement, tu sais, un bon conseil que je te donne : tu devrais t'habituer à ne pas te servir d'aide-mémoire. C'est comme cela qu'on perd sa mémoire. Moi, un beau matin, j'ai décidé : « Plus de papiers. » C'était en 96, l'année de la mort de tante Hortense. Depuis (il désigna son front), tout est là. Qu'est-ce que tu dirais d'une expérience? D'essayer de m'exposer ton affaire sans avoir recours à ton papier?

Les traits de M. de Coantré s'étaient légèrement tirés. « Je serai demain sur le pavé, et il me propose de faire des expériences! »

— Vous savez bien, l'oncle Octave, que je souffre depuis vingt ans d'une amnésie qui a été reconnue par les médecins.. Il y a des certificats...

— Allons donc! tu as une mémoire excellente! — Je te tiens pour quelqu'un de très bien portant, ajouta-t-il, détachant les syllabes avec force. Car il connaissait la méthode Coué par les journaux, et était tout à fait de l'espèce de gens que cette sorte de science-là peut éblouir.

M. de Coantré réprima la grimace que fait toute personne à qui on dit qu'elle n'est pas malade. Il s'excusa avec une sorte d'énergie de ne pouvoir faire l'expérience, et après un : « Je n'insiste pas » de son oncle, fit au baron le même exposé qu'il avait fait l'autre jour à M. Elie, le parsemant, comme l'autre fois, de mots techniques qu'il avait picorés de-ci de-là.

Quand il eut fini, et conclu : « Et maintenant, il

faut que je travaille. Et c'est un peu pour cela,
l'oncle Octave, que je suis venu vous ennuyer.

— Est-ce que tu as commencé à chercher quelque chose? demanda M. Octave.

— Oui, j'ai écrit à droite et à gauche, dit M. de
Coantré, qui n'en avait rien fait. Depuis deux jours,
il s'était donné tout entier à préparer (huit mois à
l'avance) le déménagement, tant était grande sa joie
de quitter le boulevard Arago, et délibérément
s'était abstenu de songer à son avenir : c'était le
pli, à la fois « célibataire » et « Coëtquidan », de
se refuser le plus longtemps possible, sinon tout à
fait, aux actes qui vous sont désagréables.

— J'en parlerai à Héquelin du Page, dit
M. Octave. Lui, il voit des gens. Moi, je ne vois
personne. Je vis dans mon trou. »

Il préparait ainsi le terrain, donnait par avance
les raisons de l'insuccès de ses molles démarches.
Car il ne se souciait pas de perdre son crédit à
recommander avec chaleur ce parent incapable, et
si peu reluisant. En même temps, il était fort
ennuyé, persuadé, comme l'avait été son frère, que
M. de Coantré ne trouverait rien par lui-même.

— Oui, dit M. de Coantré, je vous serais très,
très reconnaissant si vous pouviez parler de moi à
quelques personnes. Faites-le en souvenir de
maman, ajouta-t-il, bien convaincu que M. de Coëtquidan ne le ferait pas pour lui, et n'étant pas
fâché de lui faire sentir qu'il s'en rendait compte.

Le but de sa visite était d'obtenir de son oncle
une sorte de promesse que celui-ci ne l'abandon-
nerait pas, promesse qui après tout (mais il ne faisait pas ce rapprochement) ne serait que celle que,
l'autre jour, avec tant de spontanéité et de cœur,
il avait faite à M. Elie : « Quoi qu'il arrive, je ne
vous abandonnerai jamais. » Mais, le baron ne sem-

blant nullement disposé à faire cette promesse, il se sentait toujours de moins en moins de courage pour la lui demander, et il voyait bien qu'il allait partir sans avoir prononcé la seule parole qui eût chance de lui mettre l'esprit en paix.

— Et la Mélanie, toujours convenable? demanda M. Octave, tentant un nouvel aiguillage.

— A peu près. Mais, vous savez, sitôt qu'elle sentira qu'il n'y a plus d'argent dans la maison... Les rats fuient le radeau qui sombre...

Vaine tentative de M. de Coantré pour aiguiller dans sa direction. M. de Coëtquidan, ayant trouvé son rail, s'était élancé dessus.

— Ces Picards sont en général des gens excellents. Moi, quand il a fallu remplacer Borel — un de nos chefs de service — j'ai dit...

Et M. Octave expliqua comment, un des postulants à la place de Borel étant d'Arras, il l'avait appuyé pour ce fait seul. M. Octave avait, on l'a peut-être remarqué, une tendance à mettre en regard de tout ce qu'on disait, pensait, ou faisait, ce que, *lui*, il disait ou avait dit, pensait ou avait pensé, faisait ou avait fait. Son frère pouvait dire *Moa* avec une intonation plus impressionnante : le mouvement, chez l'un et chez l'autre, était le même. Pour les célibataires, le monde est cette balle au bout d'un élastique : ils ont beau l'envoyer loin d'eux, il leur revient avec prestesse.

M. Octave était dans ses explications quand on sonna. M. de Coantré, de plus en plus malheureux à la pensée que jamais il n'oserait demander à son oncle une promesse ferme, sauta sur le prétexte et se leva. Toujours il avait adoré l'inéluctable, qui le dispensait de vouloir.

Bientôt Papon ouvrit la porte, et M. Elie parut. Ce n'était pas entièrement par hasard que tout

« Arago » se retrouvait ce jour-là chez M. Octave. Celui-ci avait dit aux deux messieurs qu'ils seraient toujours sûrs de le trouver le jeudi après-midi; les autres jours ils risquaient fort de se casser le nez. Il ne tenait pas à ce que des visiteurs éventuels rencontrassent chez lui les *magots*.

M. Elie tendit la main au baron, qui n'en effleura que le bout des doigts, connaissant bien la moiteur poisseuse des mains de son frère. Puis M. Elie se tourna vers son neveu et lui jeta un « Tiens, te voilà, toi! », qui eût été la grossièreté même, si le ton bourru n'avait pas été une habitude chez le bonhomme, et qui ne pouvait tirer à conséquence. Il ne s'était pas encore assis, que M. Octave, désignant le *Daily Mail*, et composant sa voix, lui disait :

— Tu as lu le discours d'Herriot?

— Tu crois que je lis ces ordures-là?

— Comment? demanda M. Octave, levant les sourcils.

— Herriot! Un traître! S'il ne tenait qu'à moi, c'est moi qui ferais fusiller ça!

— Tu ne sais pas ce que tu dis, dit le baron, avec mépris. Cependant, si, lorsqu'il avait parlé d'Herriot à son neveu, c'était en manière d'aiguillage, cette fois il ne l'avait fait que dans le but d'exaspérer son frère.

M. de Coantré, prenant congé, se dirigea vers la porte. Alors M. Octave saisit le *Daily Mail* et le donna à son neveu, en lui disant :

— Tiens, ce n'est pas la peine que tu dépenses cinq sous pour un journal, quand je peux te le donner : *je l'ai lu.* (Les Coëtquidan, on l'a vu déjà, étaient toujours magnifiques pour faire cadeau des journaux qu'ils avaient lus.) Lis bien la phrase où il dit que ce qui fait la force de la France dans le monde, c'est la puissance morale qu'elle tire de la démocratie. Voilà ce qu'on ne comprend pas dans nos milieux. Allons, *farewell*. Tiens-moi au courant de tes affaires, hein? Et n'oublie pas ce que je t'ai dit pour les aide-mémoire. C'est une très mauvaise habitude que tu prends là. *Very bad!*

Bien que cela entrât dans le style de vie de M. Octave de mettre des mots anglais dans la conversation, cette fois il avait dit ceux-là surtout à l'intention de son frère. Ces mots anglais, en effet, horripilaient M. Elie, 1° parce qu'il ne savait pas l'anglais, 2° parce que « c'était le genre moderne », et 3° parce que, pour lui, malgré 1914, l'ennemi était toujours Wellington.

M. de Coantré se trouva donc sur le palier, et plutôt déconfit. Il était venu là pour obtenir cette promesse qui lui permît d'avoir la tête tranquille, et il n'avait obtenu que le *Daily Mail*, et de bons conseils touchant la mise en valeur de sa mémoire. Cependant il se disait : « Maintenant l'oncle Octave est prévenu. Il a l'air comme cela un peu mannequin, mais je le connais, c'est un homme de cœur, il va mijoter ça. Le premier jalon est posé. D'ailleurs, il m'a dit : « Tiens-moi au courant. » S'il s'était désintéressé de mon sort, il ne m'aurait pas dit cela. Allons, ça ne va pas trop mal. »

Cependant, le baron était rentré dans son bureau, et interpellait son frère :

— Alors, il paraît que tu vas quitter Arago?

— Les pieds devant, oui. Ça! Plus qu'à crever.

— Pourquoi crever?

— Où est-ce que je trouverai à vivre pour cinq cents francs par mois?

— Tu es sûr de ne pas pouvoir mettre davantage?

— Est-ce que je sais!

— Comment, est-ce que je sais! Tu sais bien sur quoi tu peux tabler!

— Non, je ne sais pas.

— Mais enfin, tu as bien un budget?

— Un budget! Pour les quatre sous que j'ai!

— Enfin, Elie, quand tu n'as plus d'argent dans la poche, qu'est-ce que tu fais? Comment cela se passe-t-il avec Lebeau?

— Chaque fin de mois, je vais chez Lebeau. Il me donne les cinq cents francs pour la cambuse. Je lui demande cent cinquante, deux cents francs, pour moi.

— Bon. Tu vois que déjà cela te fait sept cents francs par mois de rente. Et si tu as à faire une dépense plus forte que les deux cents francs?

— Quelle dépense? J'dépense rien. J'ai pas le sou.

— Tout de même, tes costumes...

— Mes costumes? Ces nippes-là!

— Il y a bien eu tout de même un jour où tu les as achetées.

— Eh bien, je dis à Lebeau : « Faut que je me nippe. Donnez-moi six cents francs de plus. »

— Et il te les donne?

— Oui.

— Et il ne te fait aucune observation?

— Il me dit : « Faut que je vende une action. » Alors je lui dis : « Vendez-la. »

— Ah! Ah! ça, c'est moins drôle. Tu as vendu beaucoup d'actions, comme ça?

— J'sais pas.

— Tu ne sais pas! Lebeau t'envoie bien des comptes?

— Oui, de temps en temps il m'envoie des pape-rasses. Ne les lis même pas. Me t... avec. Met ce qu'il veut dessus : j'y comprends rien. Tous des voleurs!

— Mon ami, la première chose que tu aies à faire, c'est d'aller chez Lebeau, et de lui dire : « Quel est mon capital? De combien sont mes rentes? Il me faut des précisions. » Quand tu sauras exactement ce que tu peux dépenser par an sans toucher à ton capital, on verra quelle sorte de vie on peut t'organiser pour cette somme-là. Va dès demain chez Lebeau. Il demandera probablement trois ou quatre jours pour te mettre cela au net. Viens me voir sitôt qu'il t'aura donné une réponse. Et fais-toi mettre la réponse par écrit, sans quoi, ce que tu me diras et rien...

M. Elie ne répondit pas, et bientôt ils causèrent de choses et d'autres. M. Octave jetait parfois un coup d'œil sur sa montre, placée sur le bureau. Il trouvait que ces messieurs de la famille lui prenaient beaucoup de son temps. Elie se leva enfin. Mais, au lieu d'aller vers la porte, comme l'attendait son frère, il s'avança vers la fenêtre, embrassa la pièce d'un coup d'œil, et dit :

— C'est grand, chez toi! Ça te fait combien de pièces, en somme?

— Eh bien, ça fait... voyons... ça fait huit pièces, dit le baron, avec innocence.

— Huit pièces pour Emilie et toi! Ah, eh bien, à la bonne heure, vous avez de l'air! Hrrr...

Le baron comprit. Cela voulait dire : « Est-ce que tu ne pourrais pas me loger? » A la pensée de cohabiter avec son frère, il frémit. Cela, jamais! Il se trouva comme un homme bien portant en visite chez un tuberculeux : sa bedaine lui fait honte, pour un peu il dirait au moribond : « Vous avez de la veine, vous! On vous prend au sérieux. Mais moi, avec mon catharre, si vous saviez l'enfer que c'est! » Le baron dit précipitamment :

— Grand, sans doute. Mais quel appartement!

Des plafonds qui s'effritent, pas de chauffage central, une disposition impossible, jamais de soleil!

Maintenant M. Elie, d'un œil de commissaire priseur, inspectait les objets de la chambre. Tout y disait la grande et solide aisance, l'homme qui ne cherche pas à éblouir mais ne regarde pas à la dépense quand il s'agit de quelque chose qui lui plaît. Cette inspection gênait fort M. Octave. Il lisait dans son frère. Il se représentait la chambre de pension borgne où Elie devrait vivre dans six mois. De nouveau, il regarda sa montre. Le coup d'œil n'échappa pas à M. Elie.

— Je vois ça, tu me fous dehors.

— Pas du tout. Seulement, il faut que je prépare mon rapport pour demain...

M. Elie avait quitté le bureau, était entré dans l'antichambre. Mais là, au lieu d'aller vers la porte d'entrée, ayant vu la porte du salon ouverte, il s'y engagea. Son frère réprima le : « Qu'est-ce que tu vas fouiner là-dedans? » qui lui était venu aux lèvres, et s'y engagea derrière lui, les traits crispés. Le salon, un salon d'angle, était très vaste, et beaucoup plus que le bureau respirait le luxe. En effet, chaque fois qu'il avait une contrariété, le baron achetait quelque objet d'art qui lui faisait envie, afin que le plaisir qu'il se donnait ainsi jugulât sa mauvaise humeur. Il y a un art de ne pas souffrir, et le baron y était passé maître. Cependant, regardant le salon, M. Elie ricana :

— Dis donc, Octave, tu ne pourrais pas créer une place de concierge-adjoint, à ta banque?

— Une place de concierge-adjoint? murmura le baron, d'une voix sans timbre.

— Oui, pour moi. Est-ce que tu crois que je pourrai vivre avec cinq cents francs par mois? Plus qu'à crever de faim, oui.

— On ne crève pas de faim quand on a un frère.

A peine M. Elie eut-il entendu cette parole qu'il revint vers l'antichambre, et se dirigea vers la porte d'entrée, comme si réellement il se faisait payer son départ par cette promesse. Lui aussi, comme son neveu, il était venu chercher une parole d'engagement. Il l'avait. Il pouvait déguerpir.

Sur le seuil, M. Octave ne dit pas à son frère un vague : « Tiens-moi au courant. » Il lui dit :

— Si tu vas demain chez Lebeau, tu auras probablement la réponse lundi. Viens ici mardi à deux heures, tu seras sûr de me trouver seul. Et nous verrons ensemble ce qu'il y a à faire. Veux-tu que la voiture te ramène? ajouta-t-il.

Il y avait trois ans, M. Octave avait acheté une automobile, qui lui était fort agréable : elle lui permettait de traverser avec prestesse, et sans avoir contact avec lui, un monde qu'il sentait obscurément qu'il ne connaissait ni ne comprenait, et dont seul une sorte de miracle — l'appui de M. Héquelin du Page — lui avait permis de ne dépendre pas. Au début, il avait mis cette voiture, l'occasion s'en présentant, à la disposition de son frère, qui en avait profité trois ou quatre fois. Mais du jour où M. Octave avait dit au bonhomme : « Tu ferais bien de donner la pièce à Georges (le chauffeur). Ça se fait, tu sais... » M. Elie eût traversé Paris à pied, plutôt que de reprendre la voiture de son frère; et il ne répondait même plus au salut de Georges, à présent qu'il se sentait son obligé. De sorte que le baron, ayant percé son frère, se faisait maintenant un plaisir de lui proposer l'auto à tout bout de champ, enchanté d'avoir découvert cette façon d'être fraternel à bon compte. Cette fois encore, M. Elie lui répondit en bougonnant : « Tu veux me faire tuer. N'sait pas conduire, ton chauffeur. Et puis, je salirais tes coussins. » Ayant su réunir ainsi, dans une si courte phrase, l'impolitesse, la calomnie et l'aigreur, le vieil homme se retira.

Les deux frères étaient restés ensemble trois quarts d'heure. Le nom de M. de Coantré n'avait pas été prononcé une fois.

IV

M. DE COANTRÉ ne s'était nullement soucié de se
chercher une situation, au lendemain du jour où
il avait appris chez Lebeau son nouvel état de fortune. Pas davantage ne s'en soucia-t-il, au lendemain de sa visite à son oncle. Il se replongea avec
passion dans les préparatifs du déménagement, qui
matérialisaient à ses yeux la rupture avec « Arago »,
et l'avènement de la *vie nouvelle,* et où il trouvait
l'emploi de ses capacités, à épousseter, à emballer,
à clouer, à coller, à ficeler et à peindre. Toujours
ahuri devant une tâche intellectuelle, il était de
feu devant l'écurie d'Augias qu'était, à mettre en
ordre, cette maison Arago où on gardait tout, systématiquement, afin de s'épargner d'avoir jamais à
rien acheter. Ceux qui veulent savoir ce que c'est
que le *lyrisme du déménagement,* qu'ils regardent
M. de Coantré.

En outre, l'idée lui était venue qu'il pouvait
tomber malade avant d'avoir préparé ce déménagement. Il imaginait alors que le jour fatidique
du 15 octobre arrivait sans qu'il eût pu mettre en
ordre la maison, qu'on lui refusait un délai, qu'on
jetait ses affaires sur le pavé. Ainsi allait son imagination catastrophique. En disposant tout dès à
présent — « Je veux que tout soit bouclé comme

si on devait partir dans quinze jours », — il se tranquillisait.

Il jetait ce qui ne valait que d'être jeté, tout le « mémoire » et le « ne méritant pas description » de l'inventaire; le reste était nettoyé ou brossé, et disposé dans des malles ou dans des caisses sur lesquelles il avait peint de grands numéros. La désignation de chaque objet était ensuite marquée par lui sur une feuille, en regard du numéro de la malle, afin que Mlle de Bauret, si elle avait besoin de quelque chose, pût le trouver facilement : on se rappelle, en effet, qu'il lui donnait tout. Il supposait que sa nièce, sans autre domicile actuel que le château de la vieille cousine, mettrait tout cela dans quelque local en attendant qu'elle se fût mariée. Aussitôt prise la décision de quitter Arago, il lui avait écrit que tout le mobilier et tous les objets de la maison — à l'exception de ce qu'il y avait dans sa chambre et dans la chambre de l'oncle Elie — seraient mis en état par lui d'être transportés où elle voudrait, à partir de telle date qu'il lui indiquerait. A cette lettre, Mlle de Bauret n'avait pas répondu, mais M. de Coantré n'en avait pas été étonné, parce qu'il savait qu'elle était une jeune fille à la page.

Une semaine après sa visite à M. Octave, M. de Coantré était en train de clouer une caisse, quand son regard, se portant distraitement à travers la vitre, fut frappé par un spectacle extraordinaire. Un petit garçon de six ou sept ans, en sarrau noir d'écolier, était en train de vadrouiller dans le jardin. Dans ce clos où l'on ne voyait jamais que de vieilles gens, cette jeune vie! M. de Coantré se sentit mal à l'aise. Non seulement parce qu'il y avait un inconnu *installé là comme chez lui* dans la maison, mais surtout parce que cet inconnu était

un enfant. Léon était affable et liant avec tous.
Mais les enfants le rendaient gauche; il ne savait
que leur dire, et cet état pouvait aller jusqu'à la
souffrance.

L'instant suivant il découvrit un nouveau motif
de trouble. Le robinet du jardin était resté à demi
ouvert; l'eau débordait de la cuve et se répandait.
M. de Coantré, qui eût abandonné un million
comme il abandonnait les vingt mille francs de son
mobilier, avec un détachement souriant, tout par-
fumé d'inconscience, se mettait martel en tête pour
dix sous. D'ailleurs, même si cette eau perdue
n'avait pas fait monter une facture (de trois ou
quatre centimes), elle eût navré son sentiment de
l'ordre (lequel était, toutefois, fort peu ordonné
lui-même).

Il descendit, avec l'intention de fermer le robinet,
mais s'arrêta auparavant à la cuisine pour savoir
de Mélanie qui était ce petit garçon. Elle dit que
c'était le fils de la femme de ménage, et qu'il lui
avait demandé la permission de jouer dans le
jardin.

M. de Coantré sortit donc dans le jardin. Seulement, une fois là, au lieu d'aller au robinet, il
resta près de la cuisine, et se mit à arracher les
mauvaises herbes. Car, pour aller au robinet, il fallait passer près du petit garçon. Le petit garçon
l'interpellerait peut-être, il devrait faire la conversation, et cela l'effrayait beaucoup.

Cette appréhension était fortifiée en lui par un
fait nouveau : il venait d'apercevoir, dans le fond
du jardin, M. de Coëtquidan. M. de Coëtquidan
debout et immobile, comme changé en statue, sa
canne accrochée à une poche de son gilet. Or, à
cette heure, quand il était là, M. Elie rôdait toujours aux alentours de la cuisine, parce que c'était

l'heure où les chats rentraient déjeuner, ce qui lui permettait de les lutiner au passage. D'évidence, M. de Coëtquidan était *bloqué* au fond du jardin, — bloqué par la présence du petit garçon. Il musait sans doute au fond du jardin, attendant l'heure des chats, ou bien peut-être il compissait certain arbre, sorte d'arbre sacré contre lequel c'était un rite que les messieurs se soulageassent, quand le petit garçon était arrivé, et maintenant il n'osait plus revenir, pour les mêmes raisons précisément qui empêchaient M. de Coantré d'aller fermer le robinet.

(C'était là une vieille histoire. Souvent, en été, Mme de Coantré était assise au jardin quand une « visite » arrivait, que la vieille dame recevait sous l'ombrage. Dès le coup de sonnette à la grille, si l'un des messieurs se trouvait à une certaine distance dans le jardin, il s'engouffrait dans une cabane à outils accotée au mur, et il restait là, courbé, en pleines ténèbres, parmi les rats et les toiles d'araignées, une heure durant quelquefois, ne pouvant regagner la maison sans passer auprès de la « visite ». Et mieux valait, certes, une journée entière de cellule parmi les rats, que devoir faire des frais pour un hôte pendant quelques minutes.)

Cependant M. de Coantré se disait qu'il fallait à tout prix fermer le robinet : cette eau qui se répandait, c'était du sang qui lui coulait du corps. Se décidant, il s'avança, quand il vit le petit garçon relever la tête, lui sourire, et venir vers lui, ce qui faucha net son courage. Dans un mouvement de panique irrésistible, il tourna court et se rabattit vers la cuisine.

Mais le petit garçon, hélas! était d'un naturel aimable; il suivit M. de Coantré, et celui-ci, pensant qu'il valait mieux, à tout prendre, qu'une

rencontre où il ferait piètre figure se passât sans
témoins, plutôt qu'en présence de la cuisinière,
s'arrêta et bravement fit face.

— Vous ne cueillez pas les gratteculs? demanda
le petit garçon.

— Eh! non, mon petit...

— Pourquoi? Votre maman vous le défend?

M. de Coantré, qui était sensible, trouva le mot
charmant, et sourit. Mais il était si gêné qu'il ne
trouva rien à dire. Alors le petit garçon lui tendit
une poignée de ces fruits durets des rosiers, que
les personnes sans dignité appellent des gratteculs,
et dont les enfants et les oiseaux s'enchantent dans
leurs mystérieuses dînettes.

— Tenez, vous les voulez?

— Eh, qu'est-ce que j'en ferais!

A peine eut-il dit ce mot qu'il comprit, à son ton
bourru, comme à l'expression de surprise qui vint
sur le visage du petit garçon, dont l'expression heureuse s'éteignit, qu'il avait répondu avec brutalité
à cette offre gentille. Il sentait qu'il fallait dire
quelque chose, peut-être prendre les gratteculs et
les mettre dans sa poche, — mais rien de tout cela
ne pouvait sortir de lui, tant depuis des années, il
avait rompu avec l'humain.

A ce moment, il vit une ombre passer en hâte
derrière le petit garçon et se faufiler dans la maison.
C'était M. de Coëtquidan qui, profitant de ce que
le petit garçon était distrait, avait fait force de
rames du fond du jardin, et rentrait au port. Alors
M. de Coantré, animé par le plaisir d'avoir percé
son oncle, et par celui de lui avoir rendu ce service
de haute stratégie, puisa dans ce plaisir la force de
dire au petit garçon : « Allons, amusez-vous
bien... », de pousser de l'avant dans un mouvement
qui avait quelque chose de la charge de cavalerie,

de fermer le robinet, et de revenir triomphalement
à la maison, sans que le petit garçon l'eût davantage inquiété.

Ils se mirent à table, et étaient en plein dans les
considérations sociales (« Il est gentil, ce moutard!
Et puis, propre!... » — « De mon temps, les enfants
du peuple avaient l'air d'enfants du peuple. Maintenant, ils sont tout pareils à des enfants comme il
faut. » — « Il n'y a plus de classes! ») quand la
sonnette tinta, et Mélanie dit : « C'est le facteur. »

Durant vingt ans, à chaque sonnerie du facteur,
M. de Coantré avait vu une onde d'anxiété passer
sur le visage de sa mère. Pourtant elle recevait parfois des lettres agréables, comme tout le monde, et
neuf sur dix d'entre elles étaient au moins indif-
férentes : mais non, pour elle, une lettre qui arrivait ne pouvait apporter que la nouvelle d'un
drame. Depuis la mort de sa mère, M. de Coantré
réagissait tout de même à la venue du facteur; l'inquiétude se posa sur ses traits. Mais quand il eut
l'enveloppe entre les mains, et en vit l'en-tête,
Maître Lebeau, notaire, c'est avec fièvre qu'il la fit
sauter, déchirant le bord de la lettre. Et il lut :

> *Monsieur,*
> *Pour affaire nouvelle concernant la succession de*
> *Mme la Comtesse de Coantré, je vous prie de bien*
> *vouloir passer à l'étude, si vous le pouvez, le ven-*
> *dredi 22 courant, vers trois heures.*
> *Recevez, etc.*

C'était cette lettre-*là* qu'il attendait toujours, et
maintenant elle était venue. Un drame, à coup
sûr : ce qui est tragique chez les anxieux, c'est qu'ils
ont toujours raison de l'être. M. de Coantré lut le
billet à son oncle, puis essaya de manger, mais sa

gorge était contractée. Tout ce temps, il voyait que
M. Elie décochait des œillades, à la dérobée, vers la
lettre, qu'il avait posée auprès de son assiette. Enfin,
il comprit :

— Tenez, l'oncle, si vous voulez le timbre...

— Ah! ben oui, tiens...

M. de Coëtquidan se mit à crachouter sur le
timbre. Brusquement M. de Coantré se leva.

— Je vais y aller aujourd'hui. La convocation est
pour demain. Mais il faut que je sache. Je ne peux
pas rester comme ça.

Ainsi un homme traqué, qui a la terreur du coup
de sonnette, a beau prendre des résolutions :
« Après tout, je n'ai qu'à ne pas ouvrir, faire le
mort. On finira bien par se lasser », si on a sonné
deux fois seulement, il n'y peut tenir. Il veut savoir,
il ne peut plus supporter cette présence, ce mystère derrière la porte; plutôt la mort tout de suite,
si c'est elle, que l'angoisse de l'inconnu... Il va
ouvrir.

— Mais tu as bien le temps, dit M. Elie. Il est
une heure moins vingt!

— Il faut que je me rase, que je m'habille. Et
je ne veux pas me presser. Il faut que je sois calme,
très calme... (Il serra les mâchoires.)

M. de Coantré monta et se rasa. Sa main tremblait et il se coupa. « Pardi, je sais bien ce que
c'est, c'est un nouveau créancier. Enfin, quoi que
ce soit, cela ne peut être qu'un ennui. »

Il se défiait si fort de sa mémoire et de sa présence d'esprit que, chaque fois qu'il allait chez
Lebeau, il emportait une liasse volumineuse de
papiers se rapportant plus ou moins à la succession,
imaginant toujours qu'à certain moment de l'en-
tretien quelque point essentiel de leur affaire lui
serait sorti de la tête, et aussi afin de pouvoir

vérifier — censément — ce que lui dirait le principal; il avait une grande confiance en ce Bourdillon, mais enfin, sait-on jamais? comme tous les incompétents, il était soupçonneux. Toutes ces pièces, dont beaucoup auraient dû être au panier depuis longtemps, étaient méticuleusement classées, avec des numéros d'ordre, des signes cabalistiques tracés aux crayons de couleur. Et cependant il était rare qu'il retrouvât, quand il le fallait, celle dont il avait besoin. En partie parce qu'un papier fleurant le papier « d'affaires », fût-il sans la moindre importance, était pour lui chose mystérieuse, sacrée, et redoutable, et qu'il conservait tout, et jusqu'à des factures de paires de bottines datées de 1898; en partie parce que, dès qu'il se sentait regardé, ou dès qu'il fallait agir un peu vite, la nuit se faisait dans son cerveau, ses doigts tremblaient, et il perdait tout contrôle de soi-même.

Une heure plus tard, M. de Coantré, ayant, malgré son oppression, brossé avec soin ses habits, nettoyé son faux col avec de la mie de pain qu'il avait montée, et disposé dans sa « pochette » son mouchoir de façon telle que le peu qui en apparût ne fût pas défraîchi, quitta la maison.

Depuis son retour de Chatenay jusqu'à la guerre — dix ans —, M. de Coantré, on l'a vu, n'était presque jamais sorti de la maison. Quand il avait choisi, en 1914, son hôpital auxiliaire, il l'avait choisi tout proche du boulevard Arago; pour s'y rendre il n'avait qu'une rue à traverser. Ensuite, durant dix ans encore, il ne sortit plus. Aussi, lorsque, à la mort de sa mère, il dut accomplir toutes les formalités qu'imposent une mort et une succession, cela l'écrasa, et d'autant plus que la maladie et la longue agonie de sa mère l'avaient délabré.

Dehors, les choses se brouillaient devant ses yeux;

le fracas des autobus et des tramways lui déchirait les oreilles; il était effrayant à voir traverser la chaussée, avec ces sauts de grenouille qu'il faisait quand s'annonçait quelque voiture : il eût dû être écrasé cent fois. Bientôt, les avenues, les places un peu larges, il ne les traversa plus qu'en demandant l'aide d'un passant. Il se raidissait à ne pas prendre de taxis, à cause de la dépense; d'ailleurs, en automobile aussi il avait peur. Il vaguait donc par les rues, toujours à la recherche de « moyens de transport » dont il avait étudié les combinaisons pendant une heure avant de partir, dans des annuaires périmés, de sorte que les ébats de ces véhicules n'étaient jamais tels en réalité que sur le papier, à moins que ce ne fût lui qui s'y perdît. La sueur coulait sur son visage, l'agaçant comme vous agacent les cheveux coupés que vous laisse dans le cou le coiffeur. Pourquoi lui seul glissait-il sur ses talons? Pourquoi lui seul ne trouvait-il jamais le numéro sur la façade d'une maison? Maintenant il imaginait qu'on se moquait de lui; il y avait des gens qui voulaient l'empêcher de passer. Alors la colère lui venait, la colère d'un homme qui sait qu'il touche le fin fond de la faiblesse humaine; il lui arrivait de foncer, bousculant les gens; si on l'avait interpellé, il l'eût pris de très haut. Toutes les fois qu'il le pouvait, il s'écartait, allait s'asseoir sur un banc, essayait de se reprendre. Et il était brisé quand il se retrouvait au soir dans le silence de sa chambre, où personne ne lui voulait plus de mal, où peu à peu allait lui revenir une idée paisible, et peut-être même presque honorable de lui-même. Il lui fallait ensuite plusieurs journées de détente, à la maison, sans sortir, pour revenir à ce calme plat de l'esprit et de l'âme qui était le seul état dans lequel il ne se sentît pas souffrir.

Mais peu à peu il s'était habitué, et notamment les trajets pour aller boulevard Haussmann, chez l'oncle Octave, et chez le notaire lui étaient devenus familiers. Cependant, craignant toujours d'arriver en retard, et par là d'irriter contre soi celui qu'il allait voir, se faisant d'autre part une idée gigantesque des distances qui lui coûtaient de telles peines, il continuait de calculer avec un excès ridicule le temps des trajets. Quand il avait un rendez-vous à trois heures, il arrivait à deux heures et quart (notable progrès : six mois plus tôt il fût arrivé à une heure et demie). A vrai dire, l'arrivée en avance était devenue partie du programme. Devant l'étude Lebeau il y avait certain banc, et non loin de chez l'oncle certaine terrasse de petit café, où il s'asseyait, toujours sur le même côté du banc, et toujours à la même table de la terrasse. Et il attendait qu'il fût trois heures moins cinq pour se lever, ressentant une fierté enfantine s'il parvenait à entrer chez M. Octave ou chez Bourdillon comme trois heures sonnaient, et si l'un ou l'autre l'accueillait avec un : « A la bonne heure! Quelle ponctualité! » Ce compliment suffisait pour lui donner la confiance en soi dont il avait grand besoin quand il s'entretenait avec ces messieurs.

A deux heures et demie, M. de Coantré monta chez Lebeau, — et, quelle que fût sa déchéance sociale, on voyait qu'il était un véritable homme du monde, à ce qu'il lustrait ses bottines, sous le rebord des marches, au luxueux tapis de l'escalier.

Il fut reçu par un gouspin qui lui dit tout de suite : « Mais ce n'était pas pour aujourd'hui! » ce qui lui fut assez agréable; on pensait à lui, puisqu'on se souvenait du jour où on lui avait donné rendez-vous; il comptait dans la maison. Il fut sur le point de confesser : « Je n'ai pu y tenir... » Se ravisant, il dit : « Oui, mais je passais en face de chez vous. » Il demanda à voir, un instant seulement, Bourdillon, se disant prêt à revenir le lendemain pour causer à loisir. Bourdillon lui fit dire d'attendre.

M. de Coantré fut content. Bourdillon et l'oncle Octave étaient ses deux anges gardiens, — les sauveurs, les enchanteurs dont il attendait qu'ils dénouassent toute difficulté. Bourdillon lui imposait beaucoup, parce qu'il avait une grande barbe noire (tel Cacus, qu'Hercule étouffa, et dont notre petit doigt nous dit qu'il avait une barbe étonnante).

Un assez long temps passa. M. de Coantré s'était assis dans l'antichambre, qui faisait salon d'attente, — fameuse antichambre, où tous les Coëtquidan s'étaient assis à tour de rôle, M. Elie gardant toujours son chapeau sur la tête, même si on y étouffait de chaleur, de crainte que, s'il l'enlevait, on ne prît cela pour de la politesse. On entendait un bourdonnement de voix basses, martelées par le grêle vacarme d'une machine à écrire, et qui soudain prenaient de l'ampleur quand le bruit de la machine cessait. M. de Coantré jetait à la dérobée des regards sur une des dactylos, jeune personne infiniment aimable, et avec de belles moustaches, car elle était la fille d'un commandant en retraite du Périgord. Soudain Bourdillon sortit de son bureau; le comte se leva vivement, croyant que c'était lui qu'on voulait faire entrer. Mais Bourdillon passa en disant : « Un petit moment... »

— Un seul mot, maître Bourdillon, dit Léon, les yeux suppliants. Est-ce que c'est quelque chose d'ennuyeux?

— Mais non! Tout ça s'arrangera! Ne vous en faites donc pas! dit le principal, de sa grosse voix paterne, et il disparut dans une autre pièce. M. de Coantré lui donnait du *Maître*, bien que sachant qu'il n'avait nul droit à ce titre, par courtisanerie. Ces astuces sont à la portée même des MM. de Coantré.

M. de Coantré se rassit, un peu soulagé. Evidemment, « tout ça s'arrangera » indiquait une difficulté. Mais il avait foi dans le père Bourdillon, ce brave homme. L'étude Lebeau, qui depuis un demi-siècle gérait les affaires des Coëtquidan, c'était la sécurité, c'était presque la famille. Certes, par son truchement pouvaient lui parvenir de mauvaises nouvelles. Mais ce n'était pas là qu'on lui couperait le jarret.

Tout à coup, du bureau de Bourdillon sortit en coup de vent un monsieur au visage congestionné. Ses yeux bleu de ciel, les poils qu'il avait sur le nez, son teint couperosé, tout indiquait un homme d'honneur. Il fonça vers M. de Coantré, et, les yeux lui sortant de la tête, lui dit :

— C'est vous qui êtes le requérant?

— Je ne crois pas... dit M. de Coantré, se levant, comme s'il parlait à son supérieur, et tournant les yeux vers la demoiselle à moustaches, pour lui demander s'il était le requérant. Mais l'officier de cavalerie (car c'en était un) fit un changement de main sans attendre sa réponse, et disparut du côté des bureaux, laissant le comte tout ébaubi.

Il attendit encore, et enfin Bourdillon le fit entrer dans son bureau, bureau nettement classique, avec ses vitres genre vitraux moyenâgeux, ses photos jaunies de personnages à favoris — les fondateurs de l'étude — et la pendule au socle de marbre noir et au motif de bronze : une pleureuse grecque en tunique, pleurant ses dividendes fondus.

— Alors, m'sieu de Coantré, dit-il, avec son

accent voyou qui plaisait à Léon, parce qu'il y sentait le peuple, alors nous n'en sortirons pas, de c'te affaire!

Cependant il disait cela avec un air si bonhomme, que ce fut presque sur le ton jovial (comme lorsqu'on dit : « C'est tellement la bouteille à l'encre que c'en est une vraie rigolade! ») que Léon demanda : « Alors, qu'est-ce qu'il y a encore? » Et il ajouta : « J'en frémis d'avance. Vous m'épouvantez! » Connaissant bien sa balourdise en ces sortes d'affaires, il avait pris l'habitude de plaisanter d'elle chez Bourdillon : « Je suis un enfant pour tout cela. C'est pour moi du chinois. On peut faire de moi ce qu'on veut », afin de faire croire qu'il n'était pas si enfant que cela, puisqu'il en riait. Il pensait bien que la réaction, devant quelqu'un qui dit à peu près : « Vous savez, moi, je suis idiot », doit être de penser : « Toi, mon bonhomme, je te vois venir. » M. de Coantré eût donné beaucoup (si cette expression peut lui être appliquée) pour qu'on opinât, derrière son dos, qu'il faisait l'âne pour avoir du son. Mais il est fort douteux que personne eût jamais exprimé rien de tel.

Bourdillon feuilleta le dossier de la succession. On y marchait littéralement sur les comtes et les comtesses, les barons, les vicomtes, et en regard de leurs noms revenaient sans cesse les mots « sans profession ». « Je crois que c'est plutôt *sans provision* », avait dit un jour M. de Coantré, qui aimait avoir le mot pour rire. Il y avait là des pages couvertes de chiffres, avec dans les marges des figures géométriques au crayon tracées par un homme qui attendait ou écoutait; onze folios de couleur jaune, où Mme de Coantré reconnaissait à onze reprises qu'elle devait onze sommes distinctes à M. Antoni; des papiers sur lesquels, auprès d'un timbre de quittance qui avait la couleur même du pou, M. de Coantré renonçait à quelque chose, et c'était merveille de voir sa signature seigneuriale (le « vrai sire » qui « égratigne le vélin ») au bas de ces papiers où invariablement il se dépossédait, comme s'il avait signé là le traité de paix qui lui rapportait le duché de Lorraine et celui de Brabant.

Bourdillon sortit une lettre du dossier. M. de Coantré tira ses manchettes de chemise, qui étaient trop courtes de deux centimètres.

— Vous connaissez un nommé Defraisse?

— Oui, dit le comte, changeant de visage. Mais il y a longtemps que l'histoire Defraisse est terminée.

— Eh ben, il ne dit pas ça, lui. Il réclame cinq mille francs.

— Et... il les réclame à bon droit?

— Tout semble indiquer que oui.

M. de Coantré avala sa salive. Quelque chose, sur la face supérieure de ses cuisses, se mit à trembler.

— Mais c'est infernal! Ce n'est pas une vie, de vivre constamment sous le coup de ces bombes-là! Cinq mille francs!

Qu'y avait-il qui fût plus dans sa tête que le chiffre de la somme qui bientôt serait son seul avoir? L'avait-il répété assez de fois! Cependant, en ce moment, faisant effort pour se le rappeler, il n'y parvint pas. Il chercha parmi ses papiers, ne trouva pas celui où étaient tracés les chiffres principaux de ses comptes.

— Vous cherchez quelque chose?

— Oui, je voudrais savoir combien il devait me rester, avant la réclamation de Defraisse. Vous devez avoir le chiffre, puisque c'est vous qui me l'avez donné la dernière fois.

Bourdillon consulta de nouveau son dossier.

— Tenez, ça doit être ça. Je vois : « Reste : 11.000. » Oui, c'est ça. Il devait vous rester onze mille francs. D'ailleurs, je me rappelle, c'est le chiffre auquel nous étions arrivés l'autre jour.

— A combien pensez-vous que s'élèveront les frais d'étude? Deux mille?

— Oh non! dit le gros, avec une rondeur joyeuse. Nous n'allons pas vous écorcher! Je pense que vous en verrez le bout avec mille. A peu près, quoi!

M. de Coantré s'éclaira un peu. Quand même, il y avait quelquefois de bonnes nouvelles! Quand même, il y avait des gens qui étaient honnêtes! L'étude lui prendrait mille francs, mais elle aurait pu en prendre aussi bien deux mille, deux mille cinq; il aurait bien fallu qu'il payât. Au lieu de cela, en un instant, voilà mille francs *rattrapés!*

— Alors, reprit Bourdillon, qu'est-ce que vous voulez que je fasse? Bien entendu, je vais d'abord convoquer ce Defraisse, et vérifier son titre. Mais ensuite, nous pouvons, ou le faire lanterner, ou vendre et le régler tout de suite...

Ils en étaient là quand le gouspin entrouvrit la porte, et appela Bourdillon, qui sortit.

Sitôt qu'il fut sorti, M. de Coantré feuilleta les papiers qu'il avait apportés. Et comme il était seul, qu'on ne le regardait plus, qu'il n'avait plus à se presser, qu'il ne perdait donc plus la tête, ou ne la perdait qu'à demi, tout de suite il trouva la note où figuraient ses comptes. Et il lut, soulignée, cette indication : *Lebeau une fois payé, il me restera 6.000 francs.*

« Quand Bourdillon va revenir, nous allons examiner cette question du paiement de Defraisse, et, si je n'avais pas retrouvé mon papier, tout aurait roulé sur onze mille que j'aurais en poche, quand c'est six mille! Comme si c'était la même chose, de débourser cinq mille francs quand on en a onze mille, ou quand on en a six! Cet homme à qui je me fiais! »

M. de Coantré était un pauvre homme, mais un pauvre homme avec des accès de violence, parce que incapable de maîtriser ses nerfs. Bourdillon rentrait. C'est sur un ton fort peu mesuré qu'il l'apostropha.

— Eh bien, monsieur Bourdillon! Ce n'est pas onze mille francs, c'est six mille qu'il me reste! J'ai retrouvé mon papier. Pour vous, onze mille et six mille, c'est peut-être la même chose, mais pour moi...

Et il lui jeta son papier, par-dessus la table.

Qu'en pensa Bourdillon? Pensa-t-il : voilà le seigneur qui reparaît dans l'ilote? Son visage ne laissa rien transparaître. Il lut le papier, et dit après un instant :

— Oui, c'est six mille. Aussi, je me disais : onze mille, c'est beaucoup. Alors, la question est : qu'est-ce qu'on va faire avec Defraisse?

Avec quelle tranquillité Bourdillon *enchaînait!* Comme il semblait trouver naturel de s'être trompé, et dans un élément essentiel de leur débat! Avec quelle effronterie il prétendait avoir « trouvé beaucoup », tout à l'heure, la somme de onze mille francs, alors qu'en réalité il avait dit avec assurance : « Je me rappelle, c'est le chiffre auquel nous étions arrivés l'autre jour! » Tout manquait ensemble à M. de Coantré : il était dépouillé une fois encore, et il ne pouvait même plus avoir confiance en son ange gardien. Il fit une profonde aspiration, comme si l'air qu'il inhalait devait calmer ses nerfs, qu'il sentait vibrer à l'intérieur de lui. A ce moment, un homme d'une trentaine d'années, élégant, à dégaine de noceur, entra sans frapper dans le bureau, et se mit à causer avec le principal. Quand ils eurent parlé un instant, Bourdillon dit au nouveau venu :

— Mais... vous ne connaissez pas M. de Coantré? M. de Coantré. Maître Lebeau.

Lebeau! Ce jeune crevé, hâve, voûté, avec sa coiffure de rhétoricien — ces deux bandeaux lui retombant sur les tempes, — son air de vice et de facilité! Jamais M. de Coantré n'avait vu le notaire, qui ne recevait en personne que les clients huppés. La première fois qu'il avait vu Bourdillon, il l'avait abordé avec un « Maître Lebeau? » : cette barbe majestueuse ne pouvait désigner que le notaire. Et cette fois il avait pris le patron pour un commis nouveau style! Il avait bien entendu dire, à Arago, que le « fils Lebeau » avait succédé à son père, mais de là à penser que ce danseur mondain fût le manitou, fût le maître... En quelles mains était donc sa destinée! Lebeau, un fêtard, et ce Bourdillon, qu'il venait de prendre en flagrant délit de légèreté et d'erreur!

Lebeau lui fit son compliment, puis :

— Et alors, cette succession, qu'est-ce que ça devient?

M. de Coantré, furieux contre Bourdillon, et plein d'antipathie pour Lebeau, répondit avec vivacité :

— Ça devient que M. Bourdillon m'a dit il y a cinq minutes qu'il me restait onze mille francs, alors qu'en réalité il m'en reste six. Et maintenant la question est de savoir comment il faut payer Defraisse.

Il dit, et tira ses manchettes.

Il pensait qu'après cette révélation le principal allait *recevoir sur les doigts*. Mais Lebeau se contenta de se tourner vers Bourdillon, et de l'interroger du regard, avec une expression qui signifiait : « Qu'est-ce que c'est que tout ça!... Dites donc, ça a l'air d'un drôle de numéro, votre client... »

Il est à peine besoin de dire que Lebeau n'était pas au courant de la succession Coantré, ou ne l'était que très vaguement. Il était d'ailleurs peu au courant des affaires de son étude. Son rôle dans la maison était le rôle des patrons, quand ils sont incompétents : il consistait à compliquer les choses, en voulant y fourrer son grain de sel, pour montrer qu'il était le patron.

Bourdillon lui résuma l'affaire. Lebeau tenait la tête baissée, les yeux en apparence dans le vide, comme s'il écoutait avec attention, mais en réalité, le plus souvent, ses yeux étaient fixés sur les pièces que le gouspin venait de lui remettre, et qu'il lisait pendant que le principal lui parlait. Ce manège n'échappait pas à M. de Coantré. Mais son humeur tombait, et, comme il lui arrivait toujours, la réaction en était un affaiblissement. Devant l'indifférence si peu cachée de Lebeau et de Bourdillon, et sous le coup qui ramenait à deux mille francs tout son avoir, il sombrait. Et toujours ces manchettes qui ne voulaient pas sortir! Il aurait eu beaucoup plus d'assurance si ses manchettes avaient dépassé.

— Et alors? demanda Lebeau, quand il s'aperçut que Bourdillon s'était tu. Alors, en somme, qu'est-ce qu'il y a? Il y a que tout l'actif va être mangé. Vous auriez bien mieux fait de refuser la succession.

— Je ne suis pas un homme à refuser la succession de sa mère. Et ma nièce de Bauret était tout à fait de mon avis là-dessus, je le dis à son honneur.

— Pourtant, il y a des fois!

Lebeau et Bourdillon se regardèrent, en souriant d'un air désabusé.

On entendait la voix blanche d'une dactylo qui lisait une pièce, pour quelqu'un qui collationnait, et, parfois, lorsqu'une porte s'ouvrait, une voix flûtée, aux finales aiguës (une voix de conférencier catholique), qui dictait : « ... que la réalisation est un fait acquis... »

— Enfin, voulez-vous qu'on vende, ou voulez-vous que je discute? demanda le principal. Par « vous » j'entends Mlle de Bauret et vous. Il faut que vous vous mettiez d'accord.

— Ma nièce m'a donné pleins pouvoirs, dit M. de Coantré, noblement. Elle m'a dit : « N'importe quoi, pourvu que je n'aie pas à m'en occuper. Ça, à aucun prix. »

Bourdillon ne réprima pas son sourire. « Ah! pensait-il, quelle belle famille! Vraiment, il en faut comme cela. »

— Que me conseillez-vous? demanda M. de Coantré.

— Oh! moi, je ne veux pas vous donner de conseils, dit Bourdillon, marquant pour la première fois que, tout à l'heure, il l'avait *senti passer*.

— Il faut pourtant que je sache les avantages et désavantages des deux solutions.

— Si vous payez tout de suite, vous en êtes débarrassé. Si j'essaye de transiger, cela durera plus longtemps, mais on obtiendra peut-être une réduction, comme avec Mme de Saint-Huberty.

— Il me semble hors de doute qu'il faut essayer de gratter quelque chose.

— Seulement, il faut que vous m'en fournissiez les moyens. Moi, j'ai dans mon dossier la liste que vous connaissez, de la main de ma'me votre mère, où je vois la mention : Defraisse, 4.000. Avec les intérêts, nous devons trouver les cinq mille. Mais vous, vous pouvez contester. Il s'agit de savoir si vous avez des documents, des lettres de Defraisse...

— Vous savez, il y a tellement de paperasses à la maison! J'ai encore trouvé que le grenier en était plein. S'il faut que je recherche dans tout cela!

Bourdillon eut un geste découragé.

— Dans ce cas, il vaut mieux payer tout de suite. Vous en serez débarrassé.

— Oui, dit M. de Coantré, un voile de lassitude sur le visage, je crois qu'il vaut mieux payer Comme cela, j'aurai l'esprit tranquille.

— « Tous les effets d'un acte authentique... » dicta la voix flûtée, dans l'autre pièce, tandis qu'on ouvrait la porte.

Le désir de payer ses dettes peut provenir soit de l'honnêteté, soit d'un état pathologique. Ce dernier cas était celui de notre comte. Il n'avait de paix intérieure que lorsqu'il se sentait en règle avec tous. Et puis, il craignait les représailles des créanciers, comme il craignait tout en cet ordre de choses. Quand, plusieurs semaines après la mort de Mme de Coantré, il avait trouvé deux billets de mille francs dans son secrétaire, c'est par pneumatique qu'il l'avait annoncé à Bourdillon, tant il craignait de pouvoir être accusé de l'avoir dissimulé.

— Tout de même, dit Lebeau, assis sur le bord de la table, comme un voyou chic sur un tabouret de *bar américain,* et empestant la pièce avec sa cigarette de tabac riche, tout de même, c'est bête, de ne pas discuter une créance contestable.

— Si c'est votre avis, essayons de transiger, dit

M. de Coantré, tirant ses manchettes. C'était faire volte-face courtement, mais il commençait de se sentir hypnotisé par le voyou, parce que, malgré tout, ce voyou était le patron.

— Oh! ne faites pas cela pour me faire plaisir, dit Lebeau. Je dis seulement : ce serait bête...

— Il faut que vous compreniez, dit Bourdillon au notaire. M. de Coantré veut avant tout sa tranquillité d'esprit. Il est prêt à la payer le prix qu'il faut. Si on règle Defraisse sans discussion, il n'aura plus à s'en tourmenter.

— Evidemment! dit Lebeau, d'un air de gouaille.

— « Malgré cette procédure... » dit la voix du conférencier catholique.

— Et vous, croyez-vous que Defraisse transige-rait? demanda le comte, tout à fait comme on dit à un médecin : « Croyez-vous que j'en réchap-perai? » c'est-à-dire que c'était une question idiote.

— Mais, monsieur de Coantré, qu'est-ce que vous voulez que j'en sache! C'est vous qui avez les papiers, s'il y en a.

Il y eut un long silence. On aurait pu croire que M. de Coantré était en train de balancer, minu-tieusement, le pour et le contre. En réalité il ne pensait à rien. Mais ce qui s'appelle rien. Ses pau-pières avaient une tendance à se baisser, comme s'il souhaitait surtout de s'assoupir.

— Ecoutez, dit Lebeau, nous perdons tous notre temps. (Il fit tomber avec suffisance la cendre de sa cigarette.) Si M. de Coantré veut avant tout sa tranquillité d'esprit, il n'y a qu'à payer. Autre-ment, on serait peut-être obligé de lui demander de voir Defraisse...

Sous la politesse cruelle du « Nous perdons tous notre temps », M. de Coantré avait saigné. Etait-il

possible de dire plus courtoisement : « Vous me
faites perdre mon temps? »

— Payez, allez, et que ce soit fini, dit M. de
Coantré.

— Bon, ça va, grasseya le principal. Mais ne
dites pas que j'ai fait pression sur vous. Moi, encore
une fois, je suis tout prêt à voir Defraisse et à discuter, à condition, bien entendu, que vous m'ai-
diez...

— Non, non, dit M. de Coantré. Vendez ce qu'il
faut des valeurs, et qu'on n'en parle plus.

On causa encore un peu, puis, « ne se trouvant
plus rien à dire », M. de Coantré se leva. Il
s'aperçut alors que Lebeau avait quitté la pièce.
Sans lui dire au revoir.

A peine eut-il pris congé que Bourdillon courait
après lui, avec un sourire demi-moqueur, demi-
pitoyable, et lui tendait sa liasse de papiers, qu'il
avait oubliée. Toutes les fois qu'il sortait de chez
le principal, il y oubliait quelque chose.

Il se trouva dehors, et marcha sans but défini.
Il se sentait si malcontent qu'au premier bureau de
tabac il acheta un paquet de cigarettes. Depuis six
mois, depuis qu'il s'était rendu compte de sa nouvelle situation, il avait supprimé le tabac, par économie. Mais à cette heure sa volonté craquait.
Donc, dans l'hypothèse la plus favorable, si nul
créancier nouveau ne survenait, il allait lui rester
deux mille francs! « Après tout, il est encore temps
que je lui dise de se débattre. Je vais chercher
dans mes papiers. D'ailleurs, si je paye, il restera
toujours l'oncle Octave. » Il vit que ses pas, sans
qu'il l'eût voulu expressément, — comme un cheval
sur lequel on s'est endormi prend de lui-même le
chemin accoutumé — l'avaient mené vers le boulevard Haussmann. Il monta sans prendre l'ascen-

seur, car il avait peur dans cette mécanique; pareillement, et sans qu'ils se fussent donné le mot, M. Elie ne prenait jamais l'ascenseur.

M. Octave n'était pas là. Léon feignit de chercher dans son portefeuille une carte de visite (il y avait vingt ans qu'il n'en avait plus), s'écria : « Justement, je viens de donner la dernière! » (ayant oublié qu'il avait déjà joué deux fois cette petite pièce dans l'antichambre de l'oncle Octave. Mais le Papon, qui le contemplait en silence, n'avait pas oublié), enfin, sur un chiffon de papier, qu'il glissa sous enveloppe, écrivit : « Mon cher Oncle, un nouveau créancier s'est fait connaître chez Lebeau : 5.000 francs. Cela payé (et mille francs rattrapés par ailleurs) il me restera 2.000 francs. Sans commentaires. Je me permettrai de venir vous voir demain à 5 heures. Votre affectionné, Léon. » Quand il se voyait signer ainsi, *Léon*, un billet à M. Octave, il avait l'impression qu'il était sur un grand pied d'intimité avec son oncle, que son oncle lui voulait un bien énorme. Il mettait *votre affectionné* parce que c'était une formule du duc d'Orléans.

Il ne rentra boulevard Arago qu'à huit heures, ayant le génie de mettre trois ou quatre heures pour faire ce qu'un petit commis (pourtant peu pressé, par nature) aurait fait en une, si abracadabrants étaient les moyens de transport qu'il prenait. M. Elie s'était mis à table sans l'attendre. Il monta tout de suite se déshabiller, autant parce que ses vêtements *d'apparat* le gênaient toujours un peu, que pour les ménager. Et quand il vit ces vêtements posés sur son lit, il se rappela tout le mal qu'il avait eu tantôt pour les brosser, pour trouver une chemise propre, pour nettoyer ses bottines, pour se raser, etc., et la pilule qu'il venait d'avaler lui parut encore plus amère. Au moins, pensait-il, quand on « s'habille », cela devrait vous être *payé* par le succès de la démarche qui vous a forcé à vous mettre en frais.

A la salle à manger, profitant d'une absence de Mélanie, il dit :

— L'oncle, j'ai une mauvaise nouvelle à vous apprendre...

M. Elie leva la tête vivement, écarquilla les yeux, montrant toutes ses prunelles pâles.

— Quoi donc?

— Il y a une nouvelle dette dans la succession et quand elle sera payée je n'aurai plus que deux mille francs.

M. de Coëtquidan respira. C'est une singulière façon de s'exprimer, propre à l'espèce des MM. de Coantré, que parler à un tiers de « mauvaise nouvelle », quand cette nouvelle n'est mauvaise que pour *soi*.

— A vrai dire, dit M. de Coantré, il n'est pas encore sûr qu'on paye. Il faut que je recherche dans mes papiers. Si par hasard je retrouvais...

— Hon, voilà Minine! dit M. Elie. Il veut rentrer.

Il avait entendu miauler derrière la porte de la maison. Il se leva, et alla ouvrir au chat, auquel il donna quelques morceaux, dépeçant bravement la viande avec ses doigts, à la marocaine.

— Oui, reprit M. de Coantré, il se peut que la trouvaille que j'avais faite de la lettre de M. d'Aumagne, qui, si elle avait été conçue en termes...

— Hon, Minine! Vous voulez sortir!

Le chat, en effet, était retourné vers la porte, et miaulait, pour sortir à présent. Ces chats de la maison Arago tenaient de l'homme : ils voulaient sans cesse être où ils n'étaient pas. Aussi M. de

Coëtquidan, esclave passionné de leurs moindres désirs, était-il toujours à ouvrir une porte quelque part, et la phrase : « Il veut rentrer. Il veut sortir », avait même tourné à la scie entre Mme de Coantré, Léon et Mélanie. Remarquons, en passant, que M. de Coëtquidan disait *vous* aux chats, ce qui a assez grand air. Disait-on *vous* aux chats à la cour de Louis XIV? Peut-être n'y renonça-t-on que vers la fin du règne, quand il fallut « mettre un peu de jeunesse dans tout cela ».

M. de Coëtquidan revint. Mais cette fois Léon avait compris. Il ne parla plus de son affaire.

Après dîner, il remonta de bonne heure, et écrivit trois lettres. Cet impulsif eût souffert, n'eût pu s'endormir, si quelque raison l'avait empêché d'écrire tout de suite ses lettres, qui pourtant ne partiraient qu'au courrier du lendemain. L'une était adressée au fils de la vieille dame chez qui il logeait jadis, à Chatenay; l'autre à un noble dans la difficulté, homme à tout faire, qui bricolait des mariages, et s'en était occupé pour lui; la troisième à un des médecins de son hôpital auxiliaire. Il avait cessé toutes relations avec ces personnes respectivement depuis vingt, quinze, et dix ans; cependant il n'avait trouvé qu'elles quand il avait pris, pendant le dîner, cette résolution : « Il n'y a plus de temps à perdre. Il est temps que je me trouve une place. » Dans ces trois lettres, M. de Coantré expliquait en quelques mots sa situation, et demandait à « faire quelque chose ». Il insistait sur ses talents d'infirmier.

Quand il les eut écrites, il eut l'impression qu'il avait agi. Trois lettres! Il les soupesa avec fierté. Et, sans doute, c'est agir qu'écrire une lettre. Cette impression, qu'il avait *fait un pas,* adoucit un peu son amertume.

(Il est amusant d'observer que l'écriture de M. de Coantré, très droite, bien formée, appuyée, la signature fortement soulignée, les lignes montantes, aurait fait prêter à Léon, selon l'art de la graphologie, tous les traits de caractère — sécheresse, énergie, orgueil, vitalité — dont il était le plus sûrement et le plus complètement dépourvu.)

Cette nuit-là, il se réveilla à deux heures, ce qui ne lui arrivait jamais, et ne se rendormit plus.

Le lendemain matin, M. de Coantré monta au grenier, où il y avait une caisse pleine de lettres adressées à sa mère, caisse que, depuis six mois, il n'avait pas trouvé le temps de trier, parce que cela l'ennuyait trop : là était enfouie peut-être quelque pièce qui lui permettrait de ne pas payer les cinq mille francs. Il sortit trois paquets de lettres, mais, arrivé à ce point, fut accablé par l'ampleur de la tâche : on est saisi quand on voit, dans les chambres des morts, ce que quelqu'un qui n'avait aucune importance sociale a pu recevoir de lettres dans sa vie.

Léon s'était promis, la veille, avant d'aller chez Lebeau, de consacrer cette matinée à une occupation dont il raffolait, dont il abusait, à une sorte de vice qu'il avait, et vice est bien le mot, car cela allait jusqu'à la sensation : à tondre la pelouse du jardin. Et il avait d'autant plus besoin de ce plaisir, aujourd'hui, qu'il lui fallait se dédommager de l'épreuve que c'était pour lui de retourner chez Lebeau. Après quelques instants de débat, il préféra prendre son plaisir, et ne pas discuter les cinq mille francs. Il referma la caisse, descendit du grenier, et alla jouer de la tondeuse. Quand il lui venait une pensée désagréable, il se disait : « Tout de même, hier, j'ai gagné mille francs. » (Sur les frais de l'étude.)

L'après-midi, M. de Coantré écrivit à Bourdillon : « Malgré mes recherches, je n'ai absolu-
ment rien trouvé qui me permette de contester
la créance Defraisse. Voulez-vous donc faire le
nécessaire pour que cet homme soit payé. » (*Cet
homme.* Car, quand on paie à quelqu'un ce qui
lui est dû, on acquiert bien le droit de l'insulter
un peu.)

Il traça la suscription de l'enveloppe avec une
attention méfiante. Depuis qu'il avait aperçu, soi-
gneusement épinglées dans le dossier de Bourdillon, les enveloppes de lettres qu'il lui avait
adressées, il flairait qu'il pouvait y avoir dans les
enveloppes de ses lettres de quoi le faire pendre.
Et il envoya Mélanie mettre la lettre à la boîte,
bien que M. Elie, sortant, eût pu le faire. Mais il
craignait que M. Elie, incapable de résister à son
démon, ne décollât le timbre, et n'allât ensuite
porter la lettre, comme but de promenade; et ce
rectangle de colle sur l'enveloppe, de *quoi cela
aurait-il l'air?*

La cuisinière partie, M. de Coantré connut une
sorte d'euphorie comparable à celle du martyr qui
monte sur le bûcher, ou, mieux encore, à celle de
l'homme qui se fait ouvrir les veines, et dont la
vie s'écoule : la volupté qu'il y a à se sentir extrêmement affaibli. La facilité avec laquelle M. de
Coantré se dépouillait avait quelque chose de
céleste. Et c'est bien ce que sent le peuple, quand
il fait dire au texte fameux, désignant une certaine catégorie d'êtres, que le royaume des cieux
leur appartient.

V

C'est un état que nous ne souhaitons à personne, que celui d'être le *richard de la famille*. Si on voulait préciser la somme globale que les uns et les autres avaient tirée de M. Octave, on irait loin. Il avait soutenu comme à la force du poignet Mme de Coantré, quand les malheurs d'argent l'assaillaient, que lui valaient son mari et son fils. Il avait recueilli Mme de Piagnes devenue veuve, et, si incroyable qu'il paraisse, la pension qu'elle lui payait en 1924 n'avait pas varié depuis 1906 : elle était de quatre francs par jour! Il avait comblé de cadeaux et « fait sortir » sa petite-nièce de Bauret, jusqu'à ce que la vieille cousine se coiffât d'elle. Et nous ne parlons là que de la famille. Mais nul étranger ne s'adressa jamais à lui en vain.

M. Octave avait si bien pris l'habitude — ou plutôt : on lui avait si bien inculqué l'habitude — de rendre des services d'argent, qu'on avait créé en lui l'idée fixe que, quoi qui arrivât dans la vie, il n'était pas plausible qu'il en sortît sans avoir mis la main à la poche. Et cela lui était très désagréable, moins pour le fait de donner son argent, car il ne manquait pas de générosité naturelle, que parce qu'il ne savait pas comment le donner. Nous avons dit que tous les Coëtquidan étaient timides. Les perruches ne cherchaient pas à vaincre leur timi-

dité : elle les ligotait. Coëtquidan l'ancien et M. Elie
la vainquaient en étant, hors de propos, bougons
ou insolents; on les voyait prendre tout d'un coup
un ton impossible, qui était leur façon de se dé-
fendre, en prévenant. M. Octave la vainquait par
l'argent, qui lui permettait de se dérober brusquement, quand le trouble le gagnait, en donnant
quelque chose. Mais non sans que ce don même fût
une cruelle épreuve pour sa timidité, et pour cette
forme de gaucherie qu'il avait, particulière aux
hommes qui n'ont jamais été que posés à la surface
de la vie.

La douleur de M. Octave, d'être toujours tapé,
s'augmentait de ce qu'elle fût une douleur qu'il fallait taire, comme celle des maris trompés. Enfin il
est à peine besoin de dire qu'il lui venait toutes
sortes d'ennuis, à chaque coup qu'il était généreux.

De même que, à soixante-dix ans, M. Octave
n'avait pas encore trouvé le ton exact sur lequel il
devait parler à ses subalternes, qu'ils fussent les
employés de sa banque, ou ses domestiques, alter-
nant la sécheresse, où il était naturel, avec une bonhomie contractée, qui le faisait suer sang et eau,
et changeant toutes les vingt-quatre heures de politique sur ce chapitre-là, de même il n'avait jamais
acquis le tact de savoir, dans telle circonstance,
combien, comment, et seulement s'il devait donner.
Il y avait eu dans sa jeunesse, à ce point de vue, un
petit fait qui l'avait douché pour la vie. A la fin
d'un court séjour à la campagne, où des amis
l'avaient promené en voiture, après de longues déli-
bérations intérieures qui avaient gâché quasiment
les dernières journées de son séjour, il avait voulu
glisser cinquante francs (cinquante francs-or) au
cocher, qui, devant tout le monde, poliment mais
en termes sans réplique, les avait refusés, le plon-

geant dans la confusion. (Après quoi, craignant d'avoir blessé cet homme, il s'était mis l'esprit à l'alambic pour réparer sa *gaffe*, lui avait fait un galimatias qui avait toute l'apparence d'être des excuses, et enfin ne se tint pour lavé à son endroit que six ans plus tard, par le cadeau de première communion qu'il fit à son fils.)

Depuis lors, donner lui faisait peur. Cela empoisonnait pour lui les choses les plus simples, et notamment tout service qu'on lui rendait. Fallait-il donner? Donnait-il assez? Ne donnait-il pas trop? Il demandait conseil à n'importe qui, et ensuite, donnant, de quel regard il cherchait à lire, sur son visage, les sentiments de celui qui recevait! Lorsqu'il avait dit un jour : « Je n'aime pas qu'on me rende service », le mot, répété, avait fait crier à l'orgueil odieux. Or, le baron avait beaucoup d'égoïsme, de la vanité en quantité normale (ce qu'il en faut pour l'hygiène), mais pas d'orgueil. Il n'aimait pas qu'on lui rendît service, parce que cela l'obligeait à retourner la politesse, ce qui posait des problèmes qui le mettaient à la torture. Toutes les fois que le baron venait au secours de quelqu'un, pécuniairement, l'obligé devait venir au secours du baron physiquement. On avait vu cet homme, à cinquante ans passés, rougir comme une jeune fille au moment où il disait à certaine personne que, dans la difficulté, elle pourrait compter sur lui. Encore, pour lui dire cela, avait-il dû se vaincre; il était venu la voir deux fois déjà dans le but de le lui dire, mais chaque fois, les mots sur la langue, n'avait pas osé, avec la même gêne et la même *honte*, exactement, que s'il s'était agi pour lui non d'offrir cet argent, mais de le demander. « Sa bienfaisance le tuera », avait dit de lui, sans sympathie, le père de Léon (qui picotait les Coët-

quidan autant que les Coëtquidan picotaient les
Coantré), mais avant d'avoir, il est vrai, dû subir
cette bienfaisance, qui paya partie de ses dettes,
et fut grande pour le numéraire, mais infinie pour
la délicatesse.

Cette attitude générale du baron, en ce qui
regarde la bienfaisance, n'était plus tout à fait la
même quand il s'agissait de son neveu. Il ne pouvait, à coup sûr, laisser dans le besoin le fils de sa
sœur. Dans le même temps, il savait que Léon avait
vigoureusement contribué à la ruine de sa mère,
et, bien que Mme de Coantré lui dissimulât les
scènes que lui faisait son fils, il les avait sans peine
subodorées. Il avait perdu des plumes dans l'affaire
des agrandisseurs. Il méprisait Léon pour vingt raisons faciles à deviner, — et le mépris, on l'a dit,
est « le plus impitoyable des sentiments ». (André
Suarès.) Enfin, si attentif qu'il fût à se dégager du
point de vue « famille », à la fois par réaction
contre son père, et par croyance que les Américains
n'accordent de mérite qu'à l'individu, il ne pouvait
s'empêcher d'avoir de l'éloignement pour les
Coantré, gens qui avaient été désastreux à sa sœur,
— gens plus superficiels, moins « à cheval » et
moins nobles que les Coëtquidan, — gens qui
avaient aussi une aisance, une jovialité, un côté
camélia à la boutonnière, que les Coëtquidan
n'avaient pas, ce qui pesait dans le même plateau
que leurs défauts, à la balance des Coëtquidan.

Quand M. Octave, de retour, trouva le griffon-
nage de Léon, il eut un « Ah! » excédé, puis, devant
la poignée de sous qui allait rester à son neveu, il
vit bien qu'il fallait tenter de lui trouver une
situation, s'il voulait ne l'avoir pas sur le dos. A
dîner, il en parla à sa sœur.

Mme Emilie avait un visage blafard, qu'elle cou-

vrait encore de poudre de riz, le front y compris;
un « tour » de cheveux violemment châtains; des
dents jaunes comme celles des chevaux; tout cela
lui faisant un visage aux couleurs du Pape (trait
honorable), mais enfin qui n'était pas joli joli.
Avec cela sèche, voûtée, sans tétons, les sourcils
clairsemés et noircis au noir d'allumette, et les
mains des Coëtquidan, qui étaient sa gloire, si
petites au bout de ses bras — à peine plus larges
que ses poignets — qu'elles en étaient mons-
trueuses, comme des membres atrophiés, ou comme
les pattes d'un batracien. Léon, vivant aux crochets
de sa mère, et oisif, faisait l'aveu de son temps de
reste. Mme Emilie, vivant aux crochets de son frère,
et n'ayant à penser à rien, et rien à faire, n'avait
jamais une minute : c'est le génie féminin. Ame
puérile et plaintive, toute stupide, mais avec des
nuances qui appellent le respect, les paillettes de
bon sens ou d'esprit qu'elle avait dans sa jeunesse
s'étaient comme résorbées dans le magma vague et
pâle qui lui tenait lieu de vie intérieure; ainsi certains enfants étonnent par leurs yeux immenses,
mais, quand plus tard nous les retrouvons, leurs
yeux semblent avoir rapetissé, du fait seul de
n'avoir pas grandi dans la même proportion que le
reste du visage. Les réactions de Mme Emilie, pro-
voquée sur un point quelconque, étaient presque
toujours de bonne qualité.

— Le pauvre Léon! Deux mille francs devant
lui! Mais c'est épouvantable! gémit Mme Emilie,
quand son frère l'eut mise au courant.

M. Octave, qui avait été assez saisi par la situation
de son neveu pour décider de faire quelque chose,
et en parler à sa sœur, n'eut pas plus tôt entendu
ce mot, « épouvantable », dans la bouche de sa
sœur, qu'il trouva que la situation n'était pas si

épouvantable que cela. Non seulement parce que
c'était en contredisant que chacun des Coëtquidan
parvenait à se former une personnalité (depuis les
Coëtquidan du XIVᵉ siècle, qui n'avaient existé qu'à
force de contredire systématiquement le roi), mais
parce qu'il n'accordait aucune importance à sa
sœur, il la portait sur les épaules. D'ordinaire, il
ne répondait pas quand elle lui parlait, continuait
de lire le journal, et elle restait de longs instants
silencieuse, le regard fixé sur lui avec reproche.

— Epouvantable? dit-il. Quoi! il ne sera pas le
premier qui gagnera sa vie. Il doit pouvoir travailler, il y a vingt ans qu'il ne fiche rien. Quant
aux deux mille francs, je resterai sceptique tant
que Lebeau ne me l'aura pas confirmé. Tu sais
comment est Léon de Coantré : c'est un émotif. De
son côté, Lebeau est pessimiste par principe.

Les paroles du baron ont toujours quelque chose
de remarquable. Sur celles-là il faut revenir. Il est
remarquable, en effet, que M. de Coëtquidan ait
pu inférer, de ce que Léon n'ait pas travaillé pendant vingt ans, qu'il lui serait d'autant plus facile
de le faire ensuite, comme si ces vingt années
d'inaction avaient dû accumuler en lui un potentiel
d'énergie disponible, — alors qu'au contraire, une
aptitude, un organe, inactifs durant un temps pro-
longé, s'anémient. Les deux affirmations, que Léon
était *émotif*, et que Lebeau était *pessimiste*, étaient
destinées à permettre à M. Octave de ne s'inquiéter
pas outre mesure de son neveu. Saluons encore, au
passage, le cliché du pessimisme de Lebeau, vieille
connaissance, et que nous retrouverons · c'était là
un de ces mots indéfectibles des familles, sourde-
ment adorés parce qu'ils tiennent lieu à la fois de
réflexion et d'observation. Et notons enfin que
M. Octave disait « Léon de Coantré », et non Léon

tout court, marquant par là que son neveu, malgré
tout, restait pour lui une sorte d'étranger.

— Travailler! dit Mme Emilie. Mais qu'est-ce
qu'il peut faire?

— Je verrai cela avec lui, mais il est évident
qu'il n'est à peu près bon à rien, dit M. Octave.
Car il voulait d'une part tenter de ne pas secourir
Léon, en affirmant que Léon pouvait très bien travailler, et d'autre part rabaisser Léon en disant
qu'il en était incapable. Ces deux propositions
étaient contradictoires, mais M. Octave ne voulait
renoncer ni à l'une ni à l'autre. De sorte qu'il les
alternait.

Il y eut un silence, pendant lequel il prévit comment tout cela finirait, et il soupira :

— J'ai assez donné pourtant à la pauvre Angèle!
Sans doute. Mais Léon était-il sa mère? Achè-
terait-il du pain avec l'argent que M. Octave avait
donné à Mme Angèle, qui l'avait donné aux
créanciers?

Quand le soir, à cinq heures, Léon monta l'escalier, boulevard Haussmann, il avait cette légère
appréhension qu'il avait toujours quand il allait
rendre visite à son oncle ou à Bourdillon : la
crainte que quelque chose fût survenu, depuis leur
dernière rencontre, qui eût modifié leurs bonnes
dispositions à son égard, la crainte de voir des
visages changés, et — c'était là le pire — de ne
pouvoir obtenir de savoir pourquoi. Ainsi traitait-il
sa vie, si innocente, comme si elle avait contenu
quelque chose de coupable. Mais M. Octave, à cette
heure-là, était tout aussi gêné que lui, ne sachant
pas du tout ce qu'il allait lui dire.

M. Octave, qui toujours préparait tout, tenant
la spontanéité pour de la mauvaise éducation, avait
préparé une digression qui lui permettrait de

gagner du temps (toujours sa fuite devant les réalités); c'était un rapprochement entre la douceur
prématurée de la température, et la chaleur qu'il
y avait quelquefois au début de novembre, dans
son enfance, à Saint-Pol-de-Léon. Mais ce plan fut
bouleversé par une initiative de M. de Coantré.
Léon, en effet, qui avait ses roublardises, avait
apporté à son oncle un petit vase bleu, qui pouvait
bien valoir dix sous, s'il les valait, où sa mère mettait quelquefois des fleurs; et il le lui donnait
comme souvenir, en lui disant que le dernier bou-
quet de fleurs que sa mère avait touché, quelques
jours avant sa mort, elle l'avait disposé dans ce
vase, de ses mains affaiblies. C'était là une invention
pure, mais qu'on pouvait dire « pieuse », bien que
son but unique fût de malaxer le vieillard. La
conversation fut donc, d'emblée, tout à l'attendrissement, qui ouvrit la voie aux souvenirs du passé,
où M. Octave se déversa.

Léon se moquait pas mal des souvenirs de
M. Octave, mais il l'écoutait avec une grande
expression d'attention, plaçait à l'occasion son mot,
et se disait : « Il sera content que je l'aie écouté.
Content d'avoir pu parler de soi », — car il se
flattait de *sentir* son oncle. Mais, intérieurement,
son attention était contractée sur la façon dont il
raconterait son affaire, et se rendrait intéressant,
et il guettait le premier silence, pour s'y précipiter.

Quand tout ce bavardage eut été disposé par-
devant l'objet de leur rencontre, comme cette fibre
que Léon disposait avec tant d'art autour de la
vaisselle, dans les caisses du déménagement,
M. Octave, cédant à son génie de n'aborder jamais
une question franchement, au lieu de parler du
fait nouveau, qui était la nouvelle dette, prit la
question par la bande, et dit :

— Eh bien, t'es-tu occupé de te trouver quelque chose?

— Oui, dit M. de Coantré, j'ai écrit six lettres (il en avait écrit trois). Mais je n'ai pas encore reçu de réponse.

M. Octave jugea alors sa question imprudente. Il se souvint que Léon lui avait demandé de parler de lui à quelques personnes, et il dit :

— Je ne t'ai pas oublié. J'ai parlé de toi à Héquelin du Page. Mais tout de suite il m'a demandé : « Que peut-il faire au juste? »

— Je vous remercie, l'oncle Octave! dit M. de Coantré avec élan. Dès l'instant que son oncle ensemble et M. Héquelin du Page s'occupaient de lui, il était sauvé! Et dans ses yeux brilla, comme une ampoule électrique quand on tourne le bouton, une lueur d'émotion et de reconnaissance. Ce regard fut pénible à M. Octave, qui n'avait pas parlé à son ami, et ne s'était nullement occupé de Léon. Mais comme il n'aimait pas (pas du tout) souffrir, il pensa : « Je ne l'ai pas fait hier, mais je le ferai demain. C'est donc comme si c'était fait. »

A la question : que pouvait-il faire au juste? M. de Coantré répondit par le détail de ses capacités. M. Octave avait pris un crayon et marquait de temps en temps un mot sur un papier : jardinage, connaissance des boutures... Hôpital auxiliaire n°..., pour montrer combien il prenait la chose au sérieux. Mais *in petto* il pensait : « Infirmier!... Je crois qu'il est plutôt emplâtre qu'infirmier! » Léon disant qu'il ne rechignerait pas devant un travail manuel, M. Octave fit un éloge du travail manuel.

— Pierre le Grand était bon menuisier. Louis XVI raccommodait les serrures. Moi, je fais moi-même mes bottines, je détache moi-même mes vêtements, et j'arrangerais moi-même les cordons de rideaux qui se cassent, si je n'avais pas des étourdissements quand je monte sur un escabeau. Il y a des choses que les gens qui nous servent, fussent-ils des spécialistes, ne savent pas faire, et qu'il faut faire à leur place. Par exemple, jamais un coiffeur ne vous rasera d'aussi près que lorsque vous vous rasez vous-même. Chez le bottier, quand la demoiselle a renoué vos lacets, il est invariable qu'on soit obligé de les renouer soi-même. Il est invariable qu'on doive prendre des mains d'un sergent de ville l'indicateur où il cherche pour vous une rue, et la chercher soi-même, parce que lui ne *peut pas* la trouver, de la façon dont il la cherche. Elie a des idées d'un autre âge quand il parle de la finesse des mains des Coëtquidan. Moi, en 70, le jour où un camarade de ma section, un ouvrier, m'a dit : « Ce que vous avez les mains blanches! C'est vrai, pour ce que vous faites avec! », j'ai été frotter mes mains sur de la ferraille. D'ailleurs, les Américains...

C'était merveille d'entendre le baron faire cet éloge du travail manuel, — ou plutôt ce n'était pas merveille, puisque le caractère *sacré* du travail manuel est une trouvaille purement et spécifiquement bourgeoise. Le discours de M. Octave fut interrompu par Léon qui, toujours passionné de son oncle, et affamé de lui rendre service, à la fois pour lui être agréable, et pour n'être pas sans cesse à *recevoir* de lui, sauta sur le détail du *détacheur,* et donna à son oncle le nom d'un détacheur bien supérieur à tout ce qu'on fait en ce genre, nom dont M. Octave prit note, par politesse, se faisant même préciser l'orthographe, encore qu'il eût l'intention bien arrêtée de n'acheter jamais ce produit, deux fois suspect, parce que ce n'était pas lui, M. de Coëtquidan, qui l'avait déniché, et parce que c'était Léon qui le lui recommandait.

Léon, à ce propos, donna libre cours à son esprit « célibataire », en racontant de ses histoires de ménage, où revenait à tout bout de champ le nom de Mélanie, comme un homme normal a la démangeaison de glisser dans ce qu'il dit, y ait-il imprudence à le faire, le nom de sa maîtresse. Selon que la conversation venait à s'orienter sur lui, ou sur un sujet qui n'était pas lui, le visage du baron s'allumait et s'éteignait alternativement, comme le soleil apparaît et disparaît alternativement, dans un ciel pur mais parcouru par de petits nuages. Léon, au contraire, maintenait ses yeux allumés par un effort de volonté, même quand il ne parlait pas de soi, dans le feint intérêt violent qu'il portait à tout ce qui touchait à son oncle.

— Et... si le 15 octobre je n'ai pas trouvé d'occupation? demanda-t-il enfin, sentant que l'atmosphère était propice.

— Je pense que, de toi à moi, nous nous arrangerons toujours, dit le baron, les yeux baissés, regardant ses doigts, et faisant une drôle de figure. Léon, sautant de joie, et pour compromettre son oncle, se leva à demi, penché en avant, prit les mains du vieillard.

— Ah! l'oncle Octave, je savais bien que vous ne m'abandonneriez pas! Quelle joie vous faites à maman! Vous êtes bien toujours le même!

M. Octave, les mains dans les mains de Léon, s'était reculé un peu, et il était au supplice. « Est-ce que je me suis engagé? » pensait-il. Sitôt qu'il le put sans impolitesse, il retira ses mains, et à l'improviste il fit à son neveu un bel et classique éloge de la pauvreté, destiné à lui faire comprendre qu'il ne devait pas en faire dire à son oncle plus que son oncle ne lui en avait dit, et qu'enfin Léon

serait toujours pauvre. Il le termina par ces mots :
« Toi, plus qu'un autre. mon cher ami, la pauvreté
devrait t'être légère. Tu es bien heureux d'avoir
des goûts simples, de n'avoir pas de besoins. Et
puis enfin, socialement, comment dire... toi, au
moins, s'il te manque de l'argent, cela passe ina-
perçu. Tandis que moi, par exemple, si j'étais
obligé de réduire mon train de vie, tout le monde
le verrait. »

M. de Coantré fut content d'apprendre qu'il
était, en somme, dans une situation privilégiée.
Quand ils se quittèrent, tout était à l'optimisme.

Sur le carnet où il inscrivait très succinctement
l'emploi de ses journées, et parfois une courte
réflexion, Léon, de retour, écrivit : « Fait du sentiment avec le père Oct. On verra!... » Ce trait cho-
quera peut-être quelques lectrices : elles voudraient
que le « pauvre Léon » fût sympathique sans réserve. Mais il ne s'agit pas pour nous de faire des
personnages sympathiques, il s'agit de les montrer
tels qu'ils furent. Et il est bien vrai que le mot de
Léon, sur son carnet, trahissait un homme qui,
avec toute sa naïveté, et ses sentiments souvent tou-
chants, n'était pas complètement pur.

Son neveu parti, M. Octave se demanda qui il
pourrait toucher, avec quelque chance de succès,
au sujet de Léon. Il élimina d'office tous ses col-
lègues de la banque. A aucun prix il ne voulait
que ces gens-là connussent qu'il avait un neveu qui
était prêt à travailler de ses mains; et puis, c'était
chez lui une règle stricte, de ne pas mêler aux
choses de famille les gens de *la maison* (ainsi appe-
lait-il la banque, d'un mot assez beau, ayant transporté à sa profession, par un tour d'esprit « américain », le respect que les gens de sa classe donnent
d'ordinaire à la famille). Il élimina aussi M. Héque-

lin du Page, parce que, ayant toujours tout obtenu de son *alter ego,* sans avoir besoin de rien faire pour cela, il avait mis son point d'honneur à ne lui rien demander jamais. Il élimina encore d'autres personnes, simplement parce qu'il ne voulait pas user son crédit auprès d'elles, sans doute en pure perte. Quand les gens à qui nous demandons de s'occuper de X... ou Y... nous répondent qu'ils ne peuvent rien, nous la trouvons raide, les voyant si hauts personnages, et nous suspectons leur bonne volonté. Mais le jeu des éliminations, qui fonctionnait pour M. Octave, fonctionne pour chacun de nous, et si nous cherchons nous-mêmes parmi nos relations celles qui peuvent nous servir vraiment dans une circonstance donnée, le nombre, en fin de compte, en est toujours singulièrement réduit.

Le baron s'arrêta à la pensée d'attaquer un de ses amis, ancien notaire, maître Beauprêtre. Il allait lui téléphoner, mais sa timidité prit le dessus, qu'il nommait scrupules; demander le gênait même dans le téléphone, providence des timides, et il préféra écrire. Mais voici que, la plume en bataille, la lettre lui parut difficile. Il eut beau rédiger l'enveloppe, la timbrer, la disposer en face de lui, appuyée à la statuette de *la Liberté éclairant le monde,* comme si, l'enveloppe faite, le principal était fait, et que par effluves il dût naître d'elle encouragement et inspiration, — la lettre ne *venait* pas. Et, par malheur, c'est l'usage, qu'une lettre ne compte que lorsqu'elle est écrite et partie.

Une *carte d'introduction* ne sert jamais à rien. Une *lettre de recommandation* sert rarement à quelque chose. Seule a quelque poids une *visite,* une démarche, et faite dans les termes les plus chauds et les plus pressants; et il faut revenir à la

charge, encore. Tout ce qui n'est pas cela est la
vanité même. Le monde ne veut pas le reconnaître,
et continue à nous demander des griffonnages, que
nous donnons pour qu'on nous fiche la paix. Sans
qu'il s'en rendît compte, la lettre du baron à
M. Beauprêtre était le modèle-type de ces lettres
qui sont au dernier point inutiles, puisqu'il sourd
d'elles, sans erreur possible, qu'on ne tient pas à ce
qu'on y demande, et qu'on ne croit pas qu'on réus-
sira à l'obtenir. En effet, M. de Coëtquidan avait
horreur de demander. Il ne l'avait jamais fait pour
soi, tout lui ayant été donné; aussi trouvait-il
amer, voire injuste, de le faire pour les autres, et
surtout pour quelqu'un d'aussi peu *intéressant* que
son neveu. Il en écrivit tout de même quatre pages
à M. Beauprêtre.

Il écrivit ensuite une autre (ou plutôt, à peu près,
la même) lettre de quatre pages à une cousine germaine qui avait la réputation d'avoir bon cœur, et
s'occupait d'œuvres. Il lui disait : « Si vous ne
trouvez rien qui paraisse pouvoir convenir, ne
prenez pas la peine de me répondre. »

Le soir, il dînait chez un agent de change, magnifique animal. Tandis qu'il s'habillait, il eut l'idée
de lui parler de Léon. Au fumoir, au salon, tout le
temps que dura la soirée, cela le tracassa. Mais il
lui parut qu'il était inconvenant de mêler ces histoires sordides à une soirée mondaine, et de demander quelque chose à qui venait déjà de lui
offrir une mangeaille fort coûteuse. De sorte que,
les mots toujours sur les lèvres, toujours il se les
garda.

M. Octave mesurait ce qu'il faisait pour les
autres, moins à son efficacité, qu'au mal qu'il se
donnait pour le faire. Ayant écrit deux lettres, de
quatre pages chacune, il pensa qu'il en avait assez

fait pour le moment, et qu'il n'y avait plus qu'à *voir venir*.

De son côté, Léon, ayant écrit trois lettres, de quatre pages chacune, et reçu une promesse, ou soi-disant promesse, de son oncle, pensa qu'il en avait assez fait pour le moment, et qu'il n'y avait plus qu'à *voir venir*.

Cependant les jours passèrent, et les courriers ne lui apportaient rien, ni des personnes à qui il avait écrit, ni de son oncle, à qui il n'osait récrire, crainte de le bassiner. Quand le facteur sonnait, il n'allait pas tout de suite à la cuisine, pour dissi-muler à Mélanie son impatience; il attendait dix minutes. Alors il lui arrivait de s'éclairer, en aperce-vant, sur la table de la cuisine, un imposant paquet de lettres. Mais, vu de près, quelle déception! Les prospectus d'une maison d'automobiles, d'une mai-son de vins fins, d'un joaillier, enfin tout ce que reçoit un « comte » figurant au *Tout-Paris* et au *Bottin-Mondain*, avec la mention H. P. (hôtel par-ticulier). Et puis des lettres de quête, provenant d'œuvres, et qui lui rappelaient ce mot dit par Mme de Coantré, dans l'amertume de ses dernières années : « Les relations ne servent qu'à vous envoyer des cartes de vente. »

Il arriva aussi que, deux jours de suite, le facteur ne vint pas du tout. (Auparavant, il était forcé de venir chaque jour, car M. de Coantré était abonné à *l'Action Française*. Mais le mois dernier il n'avait pas renouvelé son abonnement, tant par économie que parce que tout travail de l'intelligence, fût-ce la simple lecture d'un journal, lui était de plus en plus à charge.) « Pas de courrier? » ne put-il s'empêcher de demander à Mélanie, se disant qu'elle avait peut-être oublié de le lui donner. — « Non, Monsieur. Ah! c'est calme! » — « Il n'y a pas à

dire, on nous fiche bien la paix! » ricana Léon,
avec un rire forcé. Toute sa vie s'était passée à faire
en sorte qu'on lui fichât la paix. Mais maintenant,
cette paix, elle lui faisait peur. C'est là un mouvement classique. Les « sauvages » de la trentième
année sont les amers de la cinquantaine.

La situation de Léon demandait moins, peut-être,
un strict effort financier, que quelqu'un qui l'exa-
minât *sérieusement*. Quinze personnes étaient au
courant. Mais, comme dans un peloton de coureurs
cyclistes, personne ne voulait « partir » le premier. La plupart de ceux qui souffrent connaissent
le remède à leur mal. Et le monde, autour d'eux,
lui aussi connaît ce remède. Et cependant de toute
cette connaissance rien ne naît pour leur soulagement.

Huit jours passèrent ainsi, depuis la dernière
visite de Léon à M. Octave, et enfin, le neuvième
jour, on remit à Léon une enveloppe : « Sanatorium
de X... Le médecin chef. » Elle était de son médecin
de l'hôpital auxiliaire. Il y avait là de bonnes paroles, on se souvenait de son dévouement à « nos
chers blessés », on ne pouvait rien lui offrir pour
le moment, mais on promettait qu'on allait penser
à son cas, « bien qu'en ce moment, dans toutes
les branches, il y ait beaucoup de demandes et peu
d'emplois ». On finissait par un « très amical souvenir ».

Ce n'était pas tout à fait cela que Léon attendait : il attendait qu'on lui donnât un rendez-vous.
Mais enfin le médecin était « alerté »... sa lettre
était « très amicale »...

Léon alla boulevard Haussmann, pour *rendre
compte* à son chef hiérarchique.

Par malheur, depuis sa dernière visite, voici quels
avaient été les mouvements de M. Octave. On se

souvient qu'il avait prié son frère d'obtenir de Bourdillon un papier indiquant l'état actuel de ses rentes, et de le lui apporter à jour convenu. Ce jour-là, et les jours suivants, il attendit Elie, qui ne vint pas. Il vint la semaine suivante et déclara simplement qu'il n'avait pu voir Bourdillon, parce que « cette sacrée boutique était toujours fermée... » — « Toujours fermée?... » — « Arrivé à six heures moins le quart : plus un chat. Une bande de feignants! C'est bien les Français d'aujourd'hui. » Le baron, convaincu qu'il n'aurait de précisions sur les finances de son frère qu'en parlant lui-même à Bourdillon, se rendit à l'étude. Le principal lui dit qu'Elie avait neuf mille francs de rentes, ce qui déjà allongeait le nez de M. Octave, qui voyait bien que son frère ne pourrait jamais s'en tirer sans qu'il vînt à son aide, quand Bourdillon, après lui avoir confirmé la situation plus désastreuse encore de Léon, dit incidemment : « M. de Coantré n'est pas très commode, à ses heures! Il m'a parlé l'autre jour sur un tel ton que, n'étaient les liens de famille qui l'unissent à ces messieurs de Coëtquidan, je lui aurais répondu de la même manière. » Bourdillon était trop fin pour n'avoir pas flairé qu'il faisait plaisir à M. Octave en lui disant du mal de son neveu. Le baron fut outré : Léon n'avait pas le sou, et il se permettait d'être insolent!

A cela s'ajouta que M. Octave avait reçu la visite de Beauprêtre, qui lui avait dit : « J'aime mieux vous parler franchement : ne m'envoyez pas votre neveu. J'ai le cœur sensible... tenez, un exemple : quand je vois un pauvre sur le trottoir, je traverse, parce que je sais bien que, si je rencontrais son regard, ce serait plus fort que moi, je lui donnerais. Que va-t-il se passer? Votre neveu va me faire pitié, et je vais me décarcasser pour lui. Eh bien, cela, je ne le veux pas : je me dois aux miens. »

De plus, il y avait quinze jours qu'il avait écrit à la cousine au sujet de Léon, et elle ne lui avait pas répondu. « Voilà cinquante ans que je suis — de loin — très bien avec Marceline, et il faut que ce soit ce jeanfoutre qui vienne me mettre en froid avec elle! Car enfin je ne peux plus être à l'aise avec une parente qui ne prend pas la peine de répondre à une lettre de moi de quatre pages. Ça, c'est bien du Léon de Coantré! Il fiche la guigne à tout le monde, celui-là! » Sans doute avait-il écrit à Marceline : « Ne me répondez pas si vous ne trouvez rien qui puisse convenir », mais, naturellement, c'était là une façon de parler.

Quand le Papon, ce soir-là, annonça Léon à son oncle, M. Octave ne dissimula pas ses sentiments devant son domestique; au contraire, succombant à son animosité, il en fit presque parade. Il leva les mains, esquissant le geste de les porter à sa tête, et s'écria : « Eh bien, cette fois, non! non! et non! Dites que je suis sorti. »

Le Papon s'exécuta. Mais il le fit si bien (avec une malignité secrète?), il y mit tant de sauce, disant que Monsieur serait bien ennuyé, que Monsieur venait *justement* de sortir, etc., que Léon devina la vérité, et s'en retourna, envahi par un esprit de catastrophe. Il attendait toujours que les lettres de Bourdillon lui apportassent de mauvaises nouvelles, et en effet c'était presque toujours de mauvaises nouvelles qu'elles lui apportaient. Il attendait toujours qu'un moment vînt où l'oncle Octave lui ferait mauvaise figure, et enfin ce moment était venu. Nous l'avons dit et nous le répétons : ce qu'il y a de tragique chez les anxieux, c'est qu'ils ont toujours raison de l'être.

DEUXIEME PARTIE

VI

JAUNETTE, des poignets de fille du monde, les yeux qui eussent mis le feu à une botte de paille, à dix mètres (M. de Bauret était Provençal), deux grains de beauté sur le devant du cou, un grain de beauté à la saignée du bras gauche (qui était bleue, comme un peu d'eau reflétant le ciel, au creux d'une rigole), Mlle de Bauret, arrivée inopinément, à une heure, était assise dans la salle à manger d'Arago; et la grâce l'enveloppait tout entière. Elle tenait à la main une de ces revues de littérature pure qu'un homme qui se respecte ne lira en public qu'en en dissimulant la couverture dans son journal replié, crainte de passer pour un faiseur. Son front bas disait son peu d'intelligence, mais ajoutait à l'attrait de son visage; sa gorge, *miserabile dictu*, se présentait surtout comme une grande négation; l'aura de chaleur qui se dégage toujours d'un corps de femme était chez elle une aura de chaleur fraîche, car elle avait de la jeunesse, bien qu'âgée de vingt-cinq ans; et avec tout cela si charmante que, quand on la regardait un brin de temps, on se sentait peu à peu (sans blague) soulevé légèrement au-dessus du sol : sensation qui, pour être littéraire, n'est pas si éloignée de celle qu'exprimait la Mélanie quand elle disait : « Mlle de

Bauret, ce qu'elle est élégante! Vous la verriez marcher, vous croiriez qu'elle ne touche pas terre. »

Mlle de Bauret avait refusé la tasse de café que lui offrait son oncle. « Plutôt! pour être empoisonnée! » s'était-elle dit, car elle n'avait pas percé le génie de la maison, qui était qu'on y fût vêtu de guenilles, mais que sur la table et le chauffage on ne lésinât jamais, à l'inverse de ce qui se passe dans le commun, où, sitôt que l'argent menace de manquer, c'est d'abord sur la nourriture qu'on rogne : le café offert à Mlle de Bauret était excellent. Ses yeux allaient de la boulette de mie de pain, de couleur sombre, que roulait fébrilement entre ses doigts M. de Coëtquidan, au visage de M. de Coëtquidan, et elle outrait cette moue de mépris où excellent les demoiselles. Elle souhaitait avec ardeur que M. Elie se rendît compte qu'elle le méprisait; mais il en était à mille lieues, et d'ailleurs, s'en fût-il aperçu, en eût été content : le mépris à notre endroit, de ce que nous méprisons, nous est miel; il nous justifie à nos propres yeux. Le regard de Mlle de Bauret errait encore vers l'arbre généalogique, peint sur parchemin, et suspendu au mur (la filiation des Coëtquidan, par actes authentiques, depuis l'an 1431, avec blasons à la clef), vers le beau buffet de chêne où étaient sculptées côte à côte les armes des Coëtquidan et celles des du Couësnon (famille maternelle de Mme de Coantré), ces splendeurs voisinant avec les assiettes peintes « bretonnes » à deux sous, appliquées au mur comme si elles étaient de la faïence de prix, des cuivres bons pour le marché aux puces, et l'ours en bois sculpté des bazars bernois, dans le plus complet défaut du moindre goût artistique. Et la jeune fille se disait que, l'eût-on pensionnée d'une somme « intéressante » (un mot

à elle), pour qu'elle vécût dans cette maison, elle
n'y aurait pas vécu.

Entre la guerre, et les morts prématurées de ses
parents, Mlle de Bauret n'avait pas été élevée du
tout. Mais l'époque est ainsi faite que cela ne frap-
pait pas. A moins que, comme la vieille cousine,
qui descendait en droite ligne au moins de Chil-
debrand, on ne trouvât cela « tellement drôle » :
la bêtise des enfants est faite, régulièrement et sans
exception, de la bêtise des grandes personnes.
Mlle de Bauret avait du goût pour les lettres et
les arts, mais sa culture littéraire ne commençait
qu'à la fin du XIXe siècle; c'est dire qu'elle était
nulle. Elle voyait et expliquait l'univers à travers
les manies de quelques auteurs à la mode; par
exemple, elle croyait sincèrement que chaque
homme avait été, enfant, amoureux de sa mère; ou
bien, si quelqu'un avouait qu'il avait eu envie de
pousser sous le tramway un passant, elle lui disait :
« Vous avez trop lu les *Nourritures te restres* »;
l'autre ouvrait de grands yeux, ignorant, bien
entendu, jusqu'au nom de ce livre. Elle proclamait
qu'un pitre de cinéma, surnommé « Charlot », était
un génie[1]. Quand elle se laissait aller à une rêverie,
elle appelait cela un « monologue intérieur ».
Quand M. de Coantré lui disait que l'oncle Octave
ne voulait pas voir les réalités, elle traduisait dans
son charabia : « Il ne se soumet pas à l'objet. » Et
caetera. A vingt-cinq ans, cet infantilisme d'esprit
lui donnait la sorte de sottise qu'a un potache de
seize ans qui entre en philo, et découvre l'âme et
la pensée humaines à travers les manuels de
M. Paulin Malapert. En politique, il va sans dire
que Mlle de Bauret avait des idées avancées.

---

1. Nous rappelons que l'action de ce roman se passe en 1924.

La véritable tare de Mlle de Bauret, qui était en partie la tare de son âge, et en partie celle de son époque, était que pour elle nouveauté était synonyme de valeur. C'est là signe certain de barbarie : dans toute société, ce sont toujours les éléments d'intelligence inférieure qui sont affamés d'*être à la page*. Incapables de discerner par le goût, la culture et l'esprit critique, ils jugent le problème automatiquement d'après ce principe, que la vérité est la nouveauté.

Donnons toutefois un bon point à Mlle de Bauret : bien qu'elle fût une grande intellectuelle, elle n'orthographiait pas son prénom *Symohne*.

Ainsi équipée, la pauvre fille était une proie désignée pour les charlatans de la palette et de la plume. Elle se frotta à ces milieux, et, comme elle y plaisait par son côté gogo, y tira son épingle du jeu, c'est-à-dire y assura ce qu'elle appelait, dans son affreux langage, sa *matérielle*. Avec l'ignoble tendance au parasitisme qu'avaient les gens de sa génération, mâles et femelles, durant ces années-là, elle vivait six mois en Bretagne, chez la cousine à héritage, et six mois à Paris, chez des amis dans le train, gens auxquels M. de Coantré, avec toute sa crasse, tous ses haillons, et toute sa bonhomie, n'aurait pas tendu la main sans dégoût. Associée avec un jeune caricaturiste, elle lança un modèle de poupée de salon qui fut à la mode en 1922. Elle servit d'intermédiaire pour des achats de faux ancien. Elle décora des studios, et, dès 1924, commençait de chercher des appartements pour ses amis, en imposant la condition que ce serait elle qui les décorerait, si on *faisait affaire*. Tout cela est si bas que nous ne nous sentons pas le cœur de poursuivre. Disons seulement que dans ces trafics elle *se faisait*, depuis deux ans, une quarantaine de mille francs par an, ce qui était malgré tout quelque chose pour une jeune fille qui n'avait *rien*. Bien qu'hétérosexuelle, elle ne s'était pas mariée, parce qu'elle n'avait rien, et même elle était vierge. Mais de si peu que cela ne vaut guère d'en parler.

Mlle de Bauret rendait à chacun des magots les sentiments que ce magot-là lui portait : animosité à M. de Coëtquidan, et sympathie à M. de Coantré. Avec l'oncle Elie, ses rapports étaient de pure correction. Avec l'oncle Léon, elle s'était mise, toute petite, sur un pied de familiarité, un tantinet protectrice, qui était agréable au bonhomme. Epouvanté par les gamins, comme nous l'avons vu, le génie de l'espèce l'emportait sur ses terreurs lorsqu'il s'agissait d'une fillette. Il aimait bien sa nièce, qu'il appelait *Pinpin*. Dans les affaires de la succession, il avait été surpris de la trouver désintéressée, ignorant que cette fille, qui s'en fichait quand l'argent qu'elle devait recevoir lui venait par voie de famille, aurait mis en branle les hommes de loi pour cinq cents francs qu'on lui aurait disputés sur une de ses *commissions*.

Pendant que les deux messieurs prenaient le café, M. de Coantré donna à la jeune fille les dernières nouvelles de la succession. Tout ce temps-là, M. de Coëtquidan gardait le nez dans sa tasse, ne voulant même pas lever les yeux sur sa petite-nièce, tant elle remuait en lui l'ire et la bile. Ensuite, M. de Coantré mena la jeune fille au salon, où sept caisses ou malles étaient entassées, et lui dit avec un air de triomphe :

— Et il y en a onze autres là-haut!

— Eh bien, s'écria Simone, avec une figure longue, je vais la sentir passer!

— Quoi donc?

— La note du garde-meuble, pardi. Je vais en avoir pour trois billets par an.

M. de Coantré ne disait mot. Ces cris du cœur ou plutôt de la bourse, ce n'était pas cela qu'il avait attendu. Mlle de Bauret reprit :

— Mon oncle, je vous remercie. En me donnant votre part vous avez eu, comme on dit dans les journaux, un geste magnifique. Mais pourquoi diable n'avez-vous pas attendu de m'avoir vue pour empaqueter tout cela? Je suis sûre que la moitié du contenu de chacune de ces caisses ne vaut que d'être bazardée.

(L'impolitesse de Mlle de Bauret fait frémir.)

— Mais je t'ai prévenue! Je t'ai écrit que je commençais à emballer!

— Vous savez, moi, je ne peux pas lire les lettres longues.

(Réflexion faite, nous pensons que l'impolitesse de Mlle de Bauret ne fait frémir personne : il est probable que personne ne s'aperçoit qu'elle est impolie.)

— Naturellement, reprit-elle, il ne peut être question de défaire tout cela. Vous vous êtes donné un mal énorme...

Elle aussi elle se donnait un mal énorme, pour être aimable, car elle avait l'impression qu'elle était très aimable. Cet effort qu'elle faisait changeait complètement sa physionomie.

Elle espérait que Léon dirait : « Mais si, je peux tout sortir. Ce n'est pas une affaire! » Il dit seulement :

— J'ai fait des listes où sont marqués les principaux objets qui se trouvent dans chaque caisse, avec en regard le numéro de la caisse. Comme ça, si tu veux quelque chose, tu le trouveras tout de suite.

— Oh! vous savez, j'ai tout ce qu'il me faut chez la cousine Marthe.

(Enfin, oui ou non, l'impolitesse de Mlle de Bauret fait-elle frémir?)

Elle regardait les caisses, et cela lui brûlait les lèvres, de dire : « Je ne veux pas vous faire faire ce travail. Je vais venir avec un homme de peine, et nous ferons le tri. » Elle n'osa pas : l'image de ce pauvre homme voyant mettre sens dessus dessous tout ce qu'il avait fait, et avec tant de soin, et quand c'était pour le lui donner si généreusement... Non, cela n'était pas possible, elle aimait mieux payer les trois mille francs. Quant à M. de Coantré, il devinait bien le vœu secret de sa nièce. Mais il se sentait au bout de ses bons procédés. Elle ferait ouvrir les caisses si elle en avait le courage; lui, il ne s'en occupait plus.

Enfin, avec cette rapidité de décision qu'elle avait, dans l'ordre des choses « pratiques », elle résolut de mettre toutes les caisses, non au garde-meuble, mais dans une remise louée pour un mois. Elle viendrait là avec quelqu'un, ferait le tri, et enverrait à l'hôtel des ventes les trois quarts de ce bric-à-brac. Mais que de tracas, qui si facilement auraient pu être évités, si ce magot avait eu pour deux sous de bon sens!

Elle s'apprêtait à prendre congé, et ils étaient dans l'antichambre, au pied de l'escalier, quand, du premier, arriva — rauque, violent, comme amplifié par un porte-voix — un de ces bruits que l'homme fait avec sa bouche, après les solides repas. (La délicatesse infinie du Français d'après-guerre ne nous permet pas d'appeler ce bruit par son nom.) Mlle de Bauret eut un haut-le-corps, et, à mi-voix, lâcha à son tour, à l'adresse de l'oncle Elie, le nom d'un animal domestique, nom qui d'ordinaire est pris en mauvaise part.

— C'est pour toi qu'il a fait ça, sois-en sûre, dit

M. de Coantré. Il a de pires habitudes que celle-là, mais pas celle-là. Certainement, il a voulu te donner la preuve que, malgré ta jeunesse, ton élégance, ton argent, tu ne lui imposais pas, il ne se gênait pas pour toi. N'y fais pas attention : c'est un malheureux. Viens un instant au jardin, car j'ai quelque chose à te dire. Et si nous restons ici, il va recommencer. Ça va être un bombardement.

Quand ils furent dehors, assis sur les chaises de fer, si rouillées qu'elles semblaient avoir passé mille ans au fond de la mer :

— Mon petit Pinpin, lui dit M. de Coantré, je ne me rappelle plus si je t'ai dit que, tout en gardant pour moi, en principe, le mobilier de ma chambre, j'avais l'intention de te donner mon piano.

— Je ne sais pas si vous me l'avez dit, mais moi, vous savez, les pianos...

— Bon, j'aime mieux ça, parce que, il faut que je te dise, je n'ai plus du tout d'argent. J'ai deux cents francs pour aller jusqu'à la fin du mois, où ton oncle Elie me payera sa pension. Alors, j'avais pensé que je vendrais le piano. Je suis sûr que je peux en tirer au moins deux cent cinquante francs. Seulement, comme j'avais l'intention de te le donner, je voulais te demander la permission, avant, parce que, si cela t'est agréable d'avoir ce piano, je ne veux pas t'en priver.

— Pensez-vous que je joue de ces mécaniques-là! Non, mais vous me voyez faisant mes gammes? D'abord, c'est bien simple, si j'étais dictateur, mon premier édit serait : « Toute personne trouvée en possession d'un piano, avec queue ou sans queue, sera passée par les armes. » Gardez donc votre mécanique, et tirez-en le plus de sous que vous pourrez.

— Ah! Pinpin, tu es un bon petit gars! Sais-tu que tu viens de me faire cadeau de deux cent cinquante francs? Car enfin, tu aurais pu me dire que tu jouais du piano, et accepter l'instrument, pour le revendre...

— Deux cent cinquante francs, ça fait deux cent quarante-neuf glaces à la framboise, dit-elle rêveusement. Elle ajouta, après une pause : « Et une à la pistache. »

— Je sens bien que tu fais un grand sacrifice, dit-il, mi-figue, mi-raisin. Il lui prit la main et la serra, avec la raideur qu'on met dans ce geste quand on veut montrer que c'est une poignée de main pleine d'intentions, qui n'a rien de commun avec les poignées de main banales. Et il était surpris par la douceur presque surnaturelle de cette main de jeune fille, et se demandait s'il était convenable qu'il prolongeât ce plaisir. Mais elle dégagea sa main.

— Est-ce que réellement vous manquez à ce point d'argent? demanda-t-elle. Est-ce possible?

Il lui fit courtement le détail de ce qui lui restait.

— Si un jour vous avez besoin de quelque chose... Vous savez que maintenant je gagne un peu d'argent...

Les yeux de M. de Coantré s'humectèrent.

— Je n'aurais jamais cru que j'arriverais au point d'admettre que je puisse recevoir de l'argent de ma nièce, dit-il. Eh bien, oui, je te promets que, si un jour je me trouve tout à fait à la fin de mon rouleau — mais alors seulement — je me tournerai vers toi...

Des rides concentriques se formèrent autour de sa bouche, et, quelques secondes, ses lèvres rentrèrent un peu, comme cela arrive chez les très, très vieilles gens.

— C'est dur, tu sais... murmura-t-il.

Elle détourna la tête, se leva, et ils allèrent vers la porte du jardin. Il murmura :

— Regarde, sans en avoir l'air, du côté de la fenêtre de ton oncle Elie...

Elle regarda. Derrière la persienne mi-close, le vieux les épiait. Quand elle leva les yeux, il se recula dans sa chambre.

— Je t'accompagnerais bien un peu dehors, dit le comte, mais, vêtu comme je le suis (il désigna ses hardes trouées), je te ferais honte.

— Qu'est-ce que ça peut faire! dit-elle, avec une absolue sincérité. Et elle lui retirait un fil qu'il avait sur son veston. O femmes!

— Non, non...

— Mais aussi, pourquoi êtes-vous en haillons? Avouez que ça vous fait plaisir.

— C'est vrai, dit-il, passant de l'émotion à la jovialité comme un enfant, c'est vrai que je me sens plus à l'aise quand je suis dans ces guenilles. Quand j'ai des vêtements propres, je ne suis plus moi-même...

— Ce serait dommage, que vous ne fussiez plus vous-même, dit-elle, avec une insolence voilée, mais rieuse et sans méchanceté.

— Ecris-moi donc, lui dit-il. Bien entendu, je ne te demande pas d'écrire pour le plaisir à un vieil abruti comme moi. Mais tu pourrais au moins répondre. A quelque propos que je t'écrive, même quand il s'agit d'un renseignement important dont j'ai besoin pour Lebeau, tu ne me réponds jamais.

— Je ne peux pas écrire, je suis comme ça, dit-elle, avec le même sérieux qu'elle avait tout à l'heure quand elle disait : « Je ne peux pas lire une lettre longue. »

Il la regarda s'éloigner, à enjambées longues,

dans la grande étendue de l'avenue tout occupée par le soleil de juin. où les autobus naviguaient comme des paquebots sur une mer étale. Elle héla un taxi, arrêtée au milieu de la chaussée, la main levée, les pieds joints, comme un banderillero qui « cite » de loin de taureau; la voiture, comme une houle, vint expirer à ses pieds. M. de Coantré, revenant vers la maison, sentit une lourdeur dans la poche de droite de son veston, et y mit la main : il y trouva une vingtaine de petits cailloux! Pendant qu'ils causaient, sur leurs chaises, Mlle de Bauret s'était amusée à glisser dans sa poche, un à un, ces graviers du jardin. Cette gaminerie enchanta M. de Coantré, et le baromètre était au beau quand il remonta dans sa chambre, pour s'y livrer à l'importante occupation de dormir jusqu'à cinq heures.

Nous demandons pardon d'avoir parlé de Mlle de Bauret avec une sorte de frémissement, qui n'a rien à voir avec ce récit. Mais nous n'avons pu le contenir.

Depuis trois mois, M. de Coantré avait marqué le pas. M. Octave l'avait adressé au directeur d'un de ces comités « mondains » où, sous un prétexte quelconque, on réunit des gens convenablement vêtus et qui cherchent à se pousser, et où, moyennant cent francs par an, ils sont censés pouvoir *se faire des relations*, — but avoué de tous les pieds plats de Paris. Escrocs et gens du monde, aventuriers et gens sérieux, voire remarquables, se frottent là l'un à l'autre, dans une promiscuité dont nul n'a le dégoût. Le comité en question était un comité aéro-mondain, bien que dix sur douze de ses membres n'eussent jamais mis le pied dans un avion de leur vie. Il était dirigé par un monsieur aéro-mondain, qui ne pouvait prononcer une parole sans dire : « Mon ami Foch... » ou « mon ami Pain-

levé... » ou « l'Aéro-Club, *où je suis un gros monsieur...* » Cet homme pensa que le titre de comte de
M. de Coantré pourrait éblouir quelques nigauds.
Il lui proposa ce qui suit : le noble comte aurait
un fixe de cent francs par mois, et vingt-cinq pour
cent sur les cotisations des nigauds qu'il amènerait
à s'inscrire au comité. M. de Coantré court encore.

Il fit passer une annonce dans *l'Action Française,*
et M. Octave lui en offrit une dans *le Temps* :
« Mons. célib. 50 a. bonne instr. bonne situat. soc.
tr. sérieux dem. empl. conf. à apt. Exig. mod. »
L'annonce était mise au nom de la famille de Mélanie. Que Léon ne se fût pas aperçu de l'absurdité
de cette rédaction, cela est naturel. Mais M. Octave!
Comment répondrons-nous aux aigris, quand ils
nous diront qu'un sur deux parmi les gens en place,
dans une société quelconque, est non seulement un
imbécile au sens général du mot, mais même un
homme qui ne connaît rien à sa partie, et a réussi
par la grâce de Dieu?

L'annonce du *Temps* lui valut une lettre où on
lui offrait une situation de douze mille francs, à
condition qu'il en apportât cent vingt mille. Une
autre lettre, avec la mention *urgent* sur l'enveloppe,
lui disait à peu près : « Pourquoi chercher une
situation, quand, pour une somme infime, vous
pouvez être propriétaire? » Suivait une réclame
pour la construction de villas à bon marché. Arriva
ensuite une lettre provenant d'un lycée des environs
de Paris. On demandait des surveillants pour la
rentrée : logé, nourri, blanchi, et deux cents francs
par mois (trois ou quatre fois moins qu'un valet
de chambre, pour les hommes à qui on confie la
jeunesse française). M. de Coantré, qui eût accepté
avec joie d'être aide-emballeur, frémit de honte en
pensant qu'il pourrait être *pion.*

M. de Coantré aurait pu très bien trouver une place d'aide-emballeur, ou quelque chose d'analogue. Mais il eût fallu que ceux à qui il s'adressait prissent ses goûts et son désir au sérieux, au lieu de chercher pour lui dans l'ordre, où, *eux*, ils eussent cherché s'ils avaient été à sa place. Il eût fallu surtout que, lui, il sût à quelle porte frapper. Duhamel a écrit un livre : *les Hommes abandonnés*. Il veut parler des hommes de la guerre. Mais huit hommes sur dix sont abandonnés dans la paix, quelle que soit leur situation sociale, abandonnés dans le petit et dans le grand. Y a-t-il une ligne aérienne pour telle ville? A quelles heures les départs? Comment trouver un mari? Que faire si votre voisin tombe en syncope? Dans quel couvent vous retirer? Que fait-on pour prémunir les jeunes gens contre les maladies vénériennes? Ce que nous cherchons est toujours là, qui nous attend. Mais toujours la même ignorance : où s'adresser? Et les êtres! A nos soupirs, quelque part, toujours des soupirs répondent. Mais nous ne savons où, et nul ne nous le dit, et nous restons avec notre soif, et la vie passe. Ah non! il n'est pas que la guerre où les hommes soient abandonnés! Cela semble trivial à dire, mais il faut le dire : le *défaut de relations* est un des grands malheurs de la société.

Une troisième lettre qu'il reçut disait à M. de Coantré qu'on avait ce qu'il voulait, et donnait une adresse et des heures. Mais, quand il fut pour s'y rendre, cela l'ennuya tant de se raser, de s'habiller, et puis cet homme qui jamais n'avait pu s'appliquer ni avoir de suite était déjà si las d'avoir répété à quelques reprises ce qu'il appelait « toujours son même boniment », qu'il resta à Arago. C'était le Coantré-Triplepatte, du temps où il manquait les entrevues de mariage, qui réapparaissait.

Il écrivit à une ancienne cuisinière de la maison, qui s'était retirée en Vendée, dans la ferme d'un de ses enfants. Il lui donnerait cent cinquante francs par mois (où les prenait-il? sans doute dans la poche du baron) et aiderait aux travaux des champs, si elle voulait le loger et le nourrir. « Cela vous fera deux bras de plus », expliquait l'ingénu. Elle répondit en s'excusant.

Entre-temps, il avait récrit au médecin-chef de son hôpital, sous prétexte de lui demander un renseignement, en réalité pour se rappeler à lui. La réponse qu'il en reçut commençait par : « Monsieur ». Il en fut si frappé qu'il rechercha la lettre précédente du médecin. Elle commençait par : « Cher Monsieur. » Qu'avait-il donc fait, depuis trois mois, pour décourager la sympathie de cet homme? Sombre, il raya le nom du médecin-chef sur son carnet d'adresses.

C'était exactement, comme à la guerre, des essais de percée qui ne réussissaient pas. Alors il ne tenta plus rien, convaincu de l'inutilité de ses efforts, et tenant d'ailleurs qu'il avait fait ce qu'il devait, qu'il était en règle avec lui-même, que des efforts aussi considérables lui avaient acquis le droit de s'abandonner. De son côté, le baron s'était installé dans le fait de ne chercher plus pour lui. Car il avait été mortifié, non seulement à ses propres yeux, mais aux yeux de Léon, de voir qu'il n'avait pas réussi; cela pouvait jeter un doute sur sa puissance. Cependant, comme, chaque fois qu'ils se voyaient, Léon disait à son oncle qu'il « s'occupait tout le temps » de son avenir, et que M. Octave disait à son neveu : « J'en parle à tout le monde », aucun d'eux ne s'inquiétait outre mesure, l'un pensant : « Le père Octave ne me laissera pas sur le pavé », et l'autre : « Il finira bien par agripper quelque chose. Il vaut mieux le laisser faire à son idée. C'est un maniaque. Il ne trouvera bien que ce qu'il aura trouvé lui-même. »

De ses préoccupations et de son emploi du temps pendant ce second trimestre de 1924, on aura une idée par quelques coups d'œil jetés sur son carnet. De sa magnifique écriture, de son écriture de *chef*, il y notait, par exemple :

13 juin. — Eugénie pas venue (c'était la femme de ménage),

ou, le 17 :

Payé blanchisseuse : 88 fr. Lui reste dû : 0 fr. 60. Souhaité fête Mélanie.

ou, le 21 :

Vu P. (père) *Octave. Il m'a dit : « Tu te portes comme le Pont-Neuf. Jamais je ne t'ai vu si bonne mine. » Tu parles!*

ou, le 26 :

Mélanie me dit qu'Eugénie nous volait des Moineau[1], qu'elle emportait dans un petit sac ad hoc *qu'elle se suspendait entre les cuisses.*

Souvent il allait à la Compagnie du Gaz, chez le contrôleur des contributions, à la mairie, etc. En effet, comme il y avait des erreurs à son détriment dans toutes les invitations à payer que lui envoyaient ces administrations, et comme ces erreurs étaient toujours accompagnées de menaces de sanctions épouvantables s'il ne payait pas dans les trois jours, il voyait le gaz coupé ou la saisie, et n'avait de cesse qu'il se fût expliqué de vive voix avec des employés qui se moquaient de lui, pour avoir pris au mot les ultimatums de l'imprimé. Il eût pu téléphoner, mais il n'avait téléphoné de sa vie, et d'ailleurs ignorait qu'on peut téléphoner dans tous les cafés.

1. Boulets d'anthracite dits « tête de moineau »,

D'autres fois, il s'apaisait dans son cher jardinage. Jardinage simple, sorte de bricolage horticole, qui consistait à arracher les mauvaises herbes, tailler les arbrisseaux, tondre la pelouse, tailler le buis. Toujours détruire, comme dans sa vie. Il est vrai que, lorsqu'on surprend au travail des jardiniers professionnels, ils sont toujours eux aussi en train de couper quelque chose.

Mais le grand goût de M. de Coantré était aujourd'hui de dormir. Toujours il avait aimé s'étendre sur son lit dans la journée. Tantôt, il prenait alors en main un crayon et un papier, et était censé provoquer et noter des idées touchant l'amélioration de sa situation matérielle : il appelait cela *tirer des plans*. Tantôt, il y restait à l'état végétatif, songeant : « A cette heure des gens sont à leurs affaires, doivent faire des choses à heure fixe », et il gardait la bouche entrouverte, comme pour manifester mieux encore son relâchement. Mais à présent, ainsi étendu, il s'endormait, et c'était devenu son rêve : dormir le plus longtemps possible durant l'après-midi. Même il en vint à commander à Mélanie, de préférence, des plats lourds, des haricots, des purées, pour que la digestion sûrement l'endormît. Il s'éveillait vers les quatre heures, bâillant comme si le sommeil lui avait donné sommeil, les yeux pleins d'eau, les plis de l'oreiller imprimés sur ses joues, et se disant : « Eh bien, encore une de tirée! » Car, depuis la décision prise de quitter Arago, « tirer » les journées était devenu son grand bonheur. Chaque jour il effaçait la journée sur son calendrier de portefeuille, dans sa hâte d'arriver à la date du départ. Parfois même si impatient que, vers midi, il effaçait la journée en cours, comme si déjà elle était close. Et puis, vers six heures il avait un renouveau de contentement, parce que la fin de la journée approchait. A neuf heures il était au lit.

Quelques jours après la scène avec Mlle de Bauret, M. de Coantré vendit quatre cent vingt-cinq francs son piano, à un marchand de musique du quartier. Ces quatre billets l'éblouirent, mais le baron lui dit qu'il aurait pu vendre l'instrument mille ou douze cents francs : un Pleyel! Léon, à ce moment-là, voulait vendre aussi un lot de bricoles : porcelaines dépareillées, vieux pots à fleurs, chenêts, ferraille de toute sorte. Dépité, il éleva son prix de façon ridicule, demanda deux cents francs à la revendeuse qu'il avait fait venir. La femme pouffa, mais, flairant son bonhomme, elle lui disait pour le flatter : « Ce que vous êtes dur en affaires, monsieur de Coantré! » Et lui de se rengorger, mais il n'en démordait pas. Elle lui offrit quarante francs. Alors ses yeux eurent un éclair, et il lui dit sans plus :

— Allez-vous-en!

— Allons, cinquante, parce que c'est vous.

— Allez-vous-en, vous entendez!

Elle descendit l'escalier en l'insultant : « Comte, oui! Comte de la Bourse Plate! » M. Elie, de sa chambre, avait tout entendu, et grognait de joie — hrr... hrr... — comme un fourmilier dans sa cage, quand on lui apporte sa pâtée. Telles étaient, chez Léon, ces poussées de fierté, inattendues et surprenantes au milieu de son marasme, comme des geysers sur une mer calme. Le lendemain, il se rendit chez une autre revendeuse; mais, arrivé devant la boutique, n'osa entrer et continua son chemin. Il revint, s'arrêta, regarda la devanture, mais cette fois encore ne put se vaincre et entrer. Alors, revenu à la maison, il fit tomber un à un par la fenêtre, dans le jardin, ces objets qu'il aurait

pu vendre, et, pelle et râteau aidant, il les réduisit
en miettes.

C'est dans ce temps-là qu'il reçut une lettre de
Bourdillon.

Cher Monsieur,

*Voulez-vous passer à l'étude un de ces jours? Mais
dès à présent j'ai hâte de vous faire savoir que la
triste affaire qui vous a préoccupé si longtemps
est en bonne voie de règlement.*

Veuillez, etc.

Quand il lut cela, sa figure s'assombrit, il eut
une crise d'anxiété, « je prévois le pire », comme
un paysan à qui on montre le ciel pur : « Ça ne
présage rien de bon pour demain », ou comme une
jeune femme nerveuse, sur un paquebot en belle
humeur et qui semble filer plus vite que de coutume : « Ça doit être que nous fuyons l'orage. »

Depuis la scène que nous avons décrite entre
M. de Coantré, Bourdillon et Lebeau, les allées et
venues n'avaient pas cessé, de M. de Coantré à
l'étude. Des titres de la succession devaient être
vendus. Opération qui prit un long temps, vu les
chinoiseries qui l'accompagnèrent, et qui fut pour
notre comte une magnifique occasion de tremblement. Sans compter d'autres tractations de cet
ordre, qu'il nous assommerait nous-mêmes de raconter, et d'ailleurs cela serait inutile, le lecteur ayant
pris une vue suffisante de M. de Coantré en face
des questions d'argent.

Donc, cet après-midi de juillet, Bourdillon apprit
à M. de Coantré qu'on n'attendait plus que quelques formalités de pièces, et la présence de Mlle de
Bauret, pour procéder à la clôture des opérations;
qu'il pouvait donc s'apaiser, l'hypothèse étant

invraisemblable, qu'une traverse nouvelle survînt.

Ayant quitté l'étude, M. de Coantré alla chez le baron, pour lui annoncer la bonne nouvelle. Après vingt minutes de causerie, M. de Coëtquidan s'excusa de sortir un instant; il avait un mot à dire au Papon. Quand il revint, ils n'avaient pas échangé dix répliques, qu'il tirait brusquement de sa poche une enveloppe et la remettait à Léon.

— Je n'ai pas oublié que c'est le 13 ta fête de naissance. Tiens. Avec cela, tu pourras t'acheter un beau polichinelle...

Il était devenu pourpre. Il ajouta immédiatement, pour couper court aux effusions :

— Tu as vu le nouveau café qui vient de s'ouvrir à côté d'ici? Ces parasols de couleur font un effet très heureux! On ne sait plus qu'inventer, etc.

Quand il fut sur le palier, M. de Coantré ouvrit l'enveloppe et y trouva, avec une carte de visite où le baron avait inscrit, sans plus, la date de naissance de son neveu, un billet de cinq cents francs. C'est volant de joie qu'il se trouva transporté sur le trottoir.

Parisiens, Parisiennes, vos vies folles de lutte, amères et surmenées! Mais, ce 11 juillet, c'est Paris au ralenti, les gens qui partiront dans trois semaines, et qui déjà « partent » moralement en n'en fichant plus une datte, comme le rond-de-cuir qui à onze heures moins cinq pose la plume et cesse le travail, parce qu'il doit quitter le bureau à onze heures et demie. Avec ce billet inattendu dans sa poche, et cette conscience bienheureuse que l'affaire Lebeau était finie, M. de Coantré connut un sentiment très nouveau pour lui : une répugnance nette et vive à rentrer tout de suite boulevard Arago. Au lieu d'aller prendre l'autobus à la gare Saint-Lazare, comme il en avait l'habitude, il lam-

bina vers les boulevards, en jouissant singulièrement de tout ce qu'il voyait, comme si c'était la
première fois.

Les gens qui avaient crispé le visage jusqu'à six
heures, parce que *time is money*, maintenant perdaient en flânant tout le temps qu'ils avaient gagné
à force de taxis, de secrétaires, de sténo. Il y avait
là des Français, pas beaux (glissons), et des Françaises, de tournure médiocre (parce que peu
« femmes »), mais bien habillées et souvent plai-
santes : on dirait que, chez nous, c'est l'homme qui
a été fait d'une côte de la femme; la femme a tous
les avantages. Et entre ces Français coulait la lie
de toutes les nations, dont ces Français n'étaient
nullement gênés, qu'ils ne reconnaissaient même
pas pour une lie. De place en place, comme les
cratères laissent échapper le feu central, les « ma-
chines parlantes » des cafés servaient d'exutoire au
faux sentiment, au faux pathétique et au faux
sublime que cette foule avait dans le cœur. D'ailleurs, en quelque ordre que ce fût, tout ce qu'on
lui offrait sur ces boulevards était faux, — alors
que, du moins, à notre époque, le *seul* luxe est
l'authenticité. Les magasins exposaient des « bron-
zes » en creux et des colliers de « perles » à cent
francs; les camelots vendaient des « montres » à dix
francs, des « parfums » qui étaient de l'eau rosie,
des « stylos » qui n'étaient pas des stylos; les cafés
servaient des orangeades où il n'y avait pas d'orange,
des orgeats où il n'y avait pas d'orge; les gramo-
phones jouaient des morceaux qui n'étaient pas, à
beaucoup près, le morceau qu'avait créé le compo-
siteur; les banques affichaient des cours fictifs, les
grands journaux des nouvelles inventées de toutes
pièces, des photos truquées, les résultats d'épreuves
sportives, résultats décidés à l'avance; les cinémas

déroulaient des films où il n'y avait *aucune* différence de talent, nous voulons dire de non-talent,
entre la star multimillionnaire et la dernière des
figurantes. Et tout cela était-il particulier à Paris?
Que non, mais cela s'y trouvait dans une grande
tradition. Les œuvres jouées ou chantées à quelques
pas d'ici, et la façon de les jouer et de les chanter
depuis des siècles, témoignaient que, chez nous, rien
n'est beau que le faux, le faux seul est aimable.
Dans une pièce représentée à Paris au siècle dernier, le berger disant à la bergère : « L'herbe est
mouillée. Assieds-toi sur ma veste », il avait suffi
de cette seule phrase, parce qu'elle exprimait un
sentiment vrai, naturel et gentil, pour faire tomber
la pièce : on avait trouvé cela naïf, et M. Gogo
ne peut pas supporter la naïveté[1].

M. de Coantré marchait bravement parmi la
foule. Depuis une année, ses sorties l'avaient
aguerri, la tête ne lui tournait plus. Et puis, les
deux surprises agréables de tantôt lui donnaient
une grande assurance; il était content et fiérot
comme un chien qui se promène avec une pomme
de pin dans la gueule.

Autour des bêleurs de romances, les dactylos
changeaient de visage, les adjudants, oubliant les
rigueurs de leur grade, pleuraient comme des veaux.
Il y avait deux sortes très distinctes de camelots :
ceux qui voulaient vendre, et ceux qui ne tenaient
pas à vendre. Ceux qui voulaient vendre opéraient
des incantations destinées à étourdir l'assistance,
à l'amener jusqu'à l'état mystique où elle achèterait
pour quarante sous un peigne qu'on trouvait pour
vingt dans tous les bazars. L'incantation était faite

---

1. L'acteur, sous les sifflets et les moqueries déchaînés par
cette réplique, dut quitter la scène, en *remportant sa veste*. D'où
naquit l'expression connue.

par un enchaînement de paroles où il ne devait y
avoir jamais le plus court silence, crainte qu'à la
faveur de ce silence vous ne reprissiez votre esprit,
et avec lui la fuite; aussi l'homme avait-il des
phrases toutes prêtes à être glissées dans le moindre
trou : « Vous savez pas, j'ai la combine... » ou « Moi,
j'm'en fous, j'les ai volés... »; à la pensée que peut-
être l'homme *vraiment* les avait volés, toute l'assistance s'éclairait, l'homme lui devenait infiniment
sympathique. M. de Coantré s'occupait assez peu
des camelots. Il repérait, dans les cercles d'écou-
teurs, les femmes jeunes, et, se faufilant à côté
d'elles, il les frôlait et sentait l'odeur de leurs cheveux, odeur qui est généralement bonne chez les
Parisiennes, même du peuple et mal soignées. Voilà,
n'est-ce pas, quelque chose d'extraordinaire chez
M. de Coantré. Cela demande un retour en arrière.

Jeune homme, M. de Coantré avait eu des bonnes
amies, — blanchisseuses, couturières, bonniches,
libertines, — avec une préférence marquée pour les
laitières. Ce qui l'excitait le plus au monde, c'était
un soulier de femme fatigué ou un bas un peu trop
large, et une femme qu'il voyait entrer dans un
restaurant à 1 fr. 25 (or) était sûre de faire sa
conquête : parce qu'avec elle il n'aurait pas à se
contraindre. Beaucoup d'amusement, beaucoup de
plaisir, pas d'amour : cela dura dix ans ainsi. Lorsqu'il s'occupait des agrandisseurs, il fit la connaissance d'une demoiselle de dix-huit ans, dont la
mère, veuve, tenait un kiosque de bonbons, limonade, gaufres, etc., sur le cours de Vincennes, et
sans difficulté devint son amant. Elle était maigri-
chonne, et simplette pour la jouissance; il n'eut
d'elle, d'abord, qu'un plaisir moyen; mais il aimait
sa douceur. Bientôt cette douceur prit quelque
chose de radieux. Sa câlinerie, son besoin de tou-

jours se blottir, sa façon de tendre toujours le visage, les yeux fermés, pour être baisée, — baisant peu elle-même, toujours un peu engourdie. Pas intelligente, l'esprit lent, fronçant les sourcils pour comprendre n'importe quoi, — mais si tant de gentillesse, de confiance, de sécurité, de désintéressement. Et puis si fine, avec son visage un peu japonais (elle ressemblait à l'actrice Marie Leconte), si bien élevée, si à part, si petite infante. M. de Coantré se mit à l'aimer tendrement. Après dix ans de sensualité pure, il découvrait cet *autre ordre,* l'ordre de la sensualité mêlée de tendresse. Si magnifique que soit l'ordre de la sensualité pure, cet autre ordre lui est ce que le paradis est aux limbes. Il n'y a pas de mesure commune entre eux.

Un jour, Mariette et sa mère quittèrent Paris pour Lyon, où elles devaient demeurer le temps des grandes vacances. De Lyon elle lui écrivit une fois, puis ne répondit plus à ses lettres, qu'il lui envoyait poste restante. Il y fut et, seul ou par personnes amies, il la rechercha. Les deux femmes avaient quitté leur hôtel sans laisser d'adresse. A son retour, il trouva le kiosque rouvert avec une nouvelle tenancière. Il n'entendit plus parler de Mariette.

Après quelques semaines il retourna à Lyon. En vain. Il était gêné dans ses recherches parce que ce chardonneret de douceur était, comme neuf sur dix jeunes filles ou jeunes garçons, un monstre de dissimulation, de ruse et de mensonge à l'égard de sa mère, qui ne se doutait de rien. Il craignait de la compromettre.

Il resta obsédé par le souvenir de cette petite. Ce souvenir empoisonnait tout le reste; c'était un nuage étendu sur sa vie. « Un seul être vous manque et tout est dépeuplé » : avec quelle force il le connut! Maintenant ce dégoût, cette nausée, oui, cette nausée des corps et des êtres — et les plus délicieux, — parce qu'il n'avait plus ce qu'il aimait. Trois, quatre fois, il écrivit à Lyon, jeta cette lettre de plus dans l'abîme; il retournait au cours de Vincennes, et il y errait, le fer dans le cœur, buvant du regard les avenues sèches, comme si la force et la concentration de son désir allaient soutirer hors de l'atmosphère et forcer à être cette forme chérie.

Quatre mois il resta ainsi, dans un puits de mélancolie, toute sa vie sentimentale et sexuelle comme bue par ce souvenir, n'ayant l'énergie ni d'épuiser toutes les possibilités en ce qui regardait Mariette (la faire rechercher par un détective privé, voire par la police), ni de se tourner résolument vers l'inconnu, et d'essayer des femmes jusqu'à ce qu'il en trouvât une bonne. Il constatait qu'il lui avait fallu dix ans, et une soixantaine de femmes, pour en trouver une qui éveillât en lui cette tendresse merveilleuse, dont à présent il lui semblait qu'il ne pouvait plus se passer. A ce rythme, que d'essais infructueux et lassants, que de faux départs en perspective avant de rencontrer pareille réussite, que de tristes caricatures du paradis perdu!

Il était ainsi paralysé quand s'accomplit la déconfiture des agrandisseurs. Dans son désarroi, il se jeta à la rue, et y ramassa n'importe quoi, qui dans l'obscurité de la nuit lui avait fait quelque impression, mais qui à la lumière le glaça. Une nuit durant, cette femme avide, ou qui avait trouvé en Léon quelque chose qui la rendait folle, le serra dans ses bras, s'escrima comme un singe obscène contre son corps inerte, lui offrant grande ouverte sa bouche à la dent gâtée, et qu'incessamment il refusait, lui couvrant le visage de baisers qu'il ne rendait pas, l'engluant de sa sueur, l'étreignant sans qu'il répondît, immobile comme une pierre, ligoté par l'animosité et le dégoût. Peu après il partit pour Chatenay.

Dans un bled comme Chatenay, il fallait se tenir. Il eût pu tirer des bordées à Paris, mais il était arrêté par deux sentiments : une aventure comme celle de Mariette lui paraissait de plus en plus un miracle sur lequel il ne fallait pas compter, et cette dernière nuit « d'amour », véritablement infernale, lui rappelait avec force ce qu'il risquait dans ses tentatives de miracle. Ajoutez qu'il n'avait plus d'argent, mais cela est accessoire : un homme trouve toujours assez d'argent pour faire l'amour. Ajoutez surtout que M. de Coantré, à Chatenay, avait commencé de se vêtir en chemineau. de ne se laver plus. Bientôt, la pensée de posséder une femme suscita en lui des objections dominantes : s'habiller! se laver! se mettre en frais! faire le gracieux! que de tracas! La petite chose, certes, lui eût été agréable. Mais il fallait la payer de trop de dérangement. Le jeu n'en valait pas la chandelle.

Cette continence dura vingt ans. Est-ce possible! dira-t-on. La jeunesse s'imagine que les couvents abritent des horreurs. Nous croyons, nous, que les couvents abritent en général un grand calme de la chair. Plus on fait l'amour, plus on a envie de le faire. A l'inverse, si on s'en abstient complètement (à condition de n'être plus dans la fougue de l'âge, et d'avoir eu son saoul), l'envie en disparaît : les organes s'endorment, puis s'atrophient.

Eût-il connu beaucoup d'autres femmes, et même en eût-il aimé une comme il l'avait aimée, qu'il n'eût pas cessé pour cela d'être fidèle à Mariette. La fidélité n'est pas dans les actes mais dans le cœur. A telle petite écorchure on croit qu'on peut

arracher la croûte impunément; et on le fait, mais,
des heures après la blessure, cela se remet à saigner.
Durant vingt ans, M. de Coantré, chaque fois qu'il
pensait à Mariette, saignait : elle était toujours
fraîche en lui. Le temps n'y fit rien. Par exemple,
n'ayant jamais rêvé d'elle, pendant son sommeil, au
cours des dix années qui suivirent leur liaison (ni
même au cours de cette liaison), ensuite, une fois
chaque année, avec une régularité mystérieuse, elle
lui apparut dans un rêve. Eveillé, il était rare
qu'une couple de journées passât sans qu'il pensât
à elle, et sans que sa vie alors fît silence, et se
recueillît dans le regret. Elle reposait au fond de
lui, avec ce visage aux paupières closes qu'elle
aimait avoir pour l'offrir. Un rien, et ce visage
affleurait.

VII

CE soir-là, sur les boulevards, M. de Coantré se sent, dirait-on, frémir un peu au vent du large. L'emballage fini, la succession près de l'être... La seconde amarre est détachée, des amarres qui le maintiennent au rivage. Une à une, les autres tomberont; il voguera vers un inconnu que, dans son inconscience, il imagine sous d'agréables couleurs. Quand il frôle les femmes, il ne cherche nullement à avoir une aventure, d'abord parce que son linge n'est pas frais, ensuite parce qu'il n'en a pas envie. Ce qu'il voudrait (assez dans le vague, d'ailleurs), c'est causer avec une femme gentille, savoir où la retrouver (peut-être) un de ces jours, connaître des histoires de sa vie. Par la suite, il est possible que... Après tout, il a cinq cents francs dans sa poche, inattendus. Une somme qui vous tombe du ciel peut être dépensée sans que cela modifie votre situation...

M. de Coantré remontait les boulevards, d'une main tenant ses gants, comme Dioclétien son bâton de commandement (ces gants n'étaient plus les fameux gants de deuil; c'étaient de vieux gants de peau jaune élimés, mais dans sa poche il y avait des gants de fil neufs, qu'il avait emportés pour les mettre quand il serait chez M. Octave, et avait retirés sa visite finie, afin de ne les user pas inutilement). De l'autre main il serrait contre sa poi-

trine le dossier de la succession de sa mère : Bourdillon lui avait rendu toutes les pièces dont il
n'avait plus besoin. Devant *le Matin*, des jeunes
gens, des hommes, la salive leur coulant de la
bouche, ou quasiment, d'excitation, interrogeaient
des tableaux où étaient affichés les résultats de
l'étape du Tour de France, et marquaient des noms
sur des carnets graisseux. Après une campagne de
presse de trois semaines, tous eussent accepté sans
broncher les tractations les plus désastreuses pour
la France; mais ce soir les yeux leur sortent de la
tête parce que c'est un Français qui a repris la tête
du classement. M. de Coantré, fort en nage, s'assit
sur un banc. Comment n'eût-il pas sué? A l'exception de son *rase-pet* (encore n'avait-il quitté le man-
teau qu'un mois après tout le monde), il était vêtu
exactement comme en hiver, gilet de flanelle
compris. M. de Coantré avait bien dû voir, aux
vitrines des chemisiers, des gilets de cellular. Mais,
comme toujours il avait gardé l'été des gilets de
flanelle, il continuait. Et il croyait qu'il suait parce
qu'il faisait chaud, alors qu'il suait parce qu'il était
habillé comme en hiver.

La plupart des Parisiens, d'ailleurs, étaient dans
son cas. Sur ce banc, ils avaient leurs costumes
d'hiver, et même les gilets de ces costumes; des cols
empesés, des manchettes empesées, des chapeaux,
des cravates, des épingles de cravate, des breloques,
des bagues, des bottines montantes, voire des gants.
Ils s'éventaient et disaient : « Quelle chaleur! »
Il faisait 22 degrés. Peut-être, sous leur harnachement, avaient-ils réellement chaud, mais plutôt
crever que risquer d'être pris pour autre chose
qu'un bourgeois, dont ce harnachement était la
livrée. Peut-être les mots : « Quelle chaleur! »
n'étaient-ils qu'une simple formule de politesse à

l'égard de leurs voisins, aussi dénuée de signification et de conséquence que le mystérieux *ams-
tramdram* des petites filles.

Comme un vendeur lui proposait les journaux
du soir, il en acheta un. Il y avait trois mois qu'il
n'avait lu un journal, mais, ce soir-là, il voulait
se remettre un peu dans la vie. Les informations
l'ennuyèrent. Toutefois, quand ses yeux s'arrêtèrent sur la page des annonces, ils se mirent à
briller. Des êtres en cherchaient d'autres. Qu'im-
portait que ce fût pour cirer des parquets ou faire
la cuisine! Il y avait des appels et des réponses.
Combien tout apparaissait facile!

A la terrasse d'un café proche, une femme était
seule à une table. Quelconque, mais jeune. Il s'installa à la table voisine de la sienne.

Les gens buvaient des liquides jaunes, verts,
orangés, qui semblaient fort bons. M. de Coantré
n'avait jamais été buveur, et d'ailleurs, depuis
vingt ans, ne connaissait plus que le « rouge de
table ». Il ne savait même pas les noms de ces
boissons aux couleurs si jolie. Pris au dépourvu, il
demanda un café au lait.

Quand il regardait la femme, elle soutenait son
regard. Quand elle le regardait, il détournait la
tête. Il ne doutait pas qu'elle ne fût alertée, et
fronçait légèrement les sourcils, pour se donner un
air plus viril.

Cependant, après quelque temps, quand elle se
leva, il resta assis. Il avait toute la soirée devant
lui! Il pensa qu'elle était déçue, et se sentit flatté.

Passaient un visage mat, de femme, un visage
luisant, d'homme. Les hommes avaient à la pochette
un stylo, et quelquefois, en plus, un porte-mine; il
n'y a qu'à Paris qu'on voit cela; tous les Français
sont des penseurs. Passaient des Saints-Cyriens en

casoar, suivis, comme des prêtres, d'un sillage de
malveillance; des femmes que leur jeunesse et leurs
beaux habits rendaient semblables à des gâteaux
vivants; de pâles adolescents aux mollets grêles, aux
cheveux blonds de fille, aux visages de fadeur et
de consentement. Un vieux monsieur propret (et
qui avait quelque chose de la tournure de M. de
Coantré) portait dans un panier des médailles bé-
nites et des images de la sœur Thérèse, qu'il prétendait vendre, et *vendait* peut-être, aux consommateurs des cafés. Tout ce monde, ourlé d'or faible
dans le contre-jour par le soleil à son déclin, ne
faisait pas un spectacle déplaisant. Un grand
nombre de ces êtres donnaient l'impression d'avoir
un esprit éveillé, et comme intelligent; la plupart
des visages étaient caractérisés : ces gens avaient
leurs idées propres sur le monde, leur individua-
lité. Il n'y avait qu'une seule expression qui à tous
leur fût commune : l'absence de fierté.

En M. de Coantré, tout à fait hors de sa norme,
se construisait un projet sensationnel : celui de
dîner au restaurant et d'aller ensuite à Montmartre,
à Montmartre dont la basilique, par les rues transversales, apparaissait bizarrement proche, et comme
à portée de la main. Oh! rien de plus qu'une
promenade! Il ne dépasserait pas le boulevard
Rochechouart, et il serait de retour à dix heures.
Il se leva et, à la première poste, envoya à M. Elie
un pneumatique : il avait rencontré son vieux
camarade de *nos maisons*, Max de Bastaud, et
M. de Bastaud, « veuf » pendant ce mois de juillet,
l'avait invité à dîner au restaurant. Que M. de
Coëtquidan se couchât sans s'occuper de lui. (Les
menteries étaient toujours légères à Léon de
Coantré.)

Alors il prit un autobus qui le rapprochait de

Montmartre, en descendit après quelques stations,
et marcha vers le nord, parmi des choses au cœur
sombre. A Paris, tout est noir, mais ce n'est pas le
noir *voulu*, le style noir de l'Espagne, c'est le noir
de crasse : les maisons grises, les vêtements gris, les
faces grises, le sang gris. Il était sept heures et
demie. Les garçons de café, le soleil tombé, remon-
taient les stores des terrasses. Dans le cadre des
fenêtres ouvertes, les gens qui prenaient le frais
se détachaient sur les fonds noirs des chambres.
comme les figures anciennes sur le fond noir des
tableaux. Le frichti du soir mettait au-dessus de
chaque toit un petit elfe de fumée qui se dandi-
nait, dans le ciel sans couleur comme ces visages.

Il se trouva au square de la place d'Anvers. Les
gens assis y étaient collés les uns contre les autres
comme des mouches sur une blessure. Devant tout
ce monde il hésita à y entrer, puis entra, et s'assit
sur un banc, en face d'un nom dessiné de la pointe
d'une canne sur le gravier : Gaston. O Gaston,
soyez propice à notre noble comte! Sur le banc le
plus proche était assise une jeune femme, une charmante musaraigne féminine; elle lisait un roman,
soit impudique, soit stupide, et probablement les
deux ensemble, car de temps en temps elle riait
sous cape, — instants où elle aurait été facile à
émouvoir. Son voisin de banc était un vieil Israélite
(chapeau melon et pantoufles). M. de Coantré pensa
que, lorsque l'homme partirait, il irait s'asseoir à
côté d'elle.

Sur les autres bancs, des ouvrières cousaient, avec
de glorieux suçons sur le gras du bras (mais c'étaient
elles qui se les étaient faits, pour rire, bien entendu),
levant sans cesse la tête de sur leur ouvrage, toujours persuadées qu'on s'occupait d'elles. Les mères
elles aussi levaient la tête de leur ouvrage, pour

voir où était leur petit qui s'était éloigné. La voisine de M. de Coantré était une belle petite fille. Elle cousait, avec des doigts rouges et brillants comme des crevettes. Elle mangeait un croissant, et il sentait l'odeur du croissant mâché. Quelquefois elle croisait les jambes, quelquefois elle poussait un soupir. Et d'autres petites filles tournaient autour de lui, pleines de poursuites et de cris comme les hirondelles de septembre. L'atmosphère était tout immobile. Pourtant les feuilles des platanes, plus sensibles, bougeaient continuellement, comme des gens, vus de loin, qui s'agitent sur les gradins d'une arène. Et cela sentait l'enfant, c'est-à-dire le petit chat.

M. de Coantré aurait voulu adresser la parole à la petite fille — en tout bien tout honneur, — lui demander quel était le point de son ouvrage, quel âge elle avait, si son père n'était pas mort à la guerre. Mais il n'osait. Il lui fallait bien reconnaître qu'il n'avait plus cette fameuse *aisance Coantré* qui, dans sa jeunesse, avait tant dépité les Coëtquidan. « Je suis comme les coureurs cyclistes, se dit-il. Une fois lancé, cela irait bien. Mais j'ai besoin que quelqu'un me lance. » Tantôt, sur les boulevards, il avait eu l'impression qu'au crépuscule il aurait une audace qui lui manquait dans ce soleil. Maintenant c'était le crépuscule, et il s'excusait sur tout ce monde qui encombrait le square : dans une demi-heure, la pénombre descendue, le square dégagé, alors il reprendrait ses moyens.

Les moineaux frétillaient, vibratiles, dans la poussière, comme s'ils y éprouvaient le même plaisir que nous éprouvons dans l'eau : des moineaux capitalistes, si gras que leurs jabots les retenaient au sol, ou presque; il ne leur manquait qu'une chaîne de montre dessus. Un apprenti aux mains grises faisait faire à son petit frangin, pour la dixième fois, le tour du square, afin qu'il dorme cette nuit comme un tonnerre de Dieu, et ne réveille pas papa-maman à deux heures du matin, pour leur demander de lui acheter une patinette. Et toujours, autour des bancs, les marmousets, les pauvres, étaient en proie aux piles électriques qu'ils avaient le malheur d'avoir pour mères. « Touche pas! » — « Pourquoi? » — « Faut rien toucher. » Le gosse (avec une culotte si courte que la *bébête* passait le nez par une des manches) essayait d'autre chose. — « Veux-tu pas courir! » — « Pourquoi? » — « Parce que. » Le gosse essayait d'autre chose. — « Amuse-toi donc, idiot! Tu n'es pas venu ici pour rester planté comme un imbécile! » Le gosse essayait d'autre chose. « Qu'est-ce que c'est que ce jeu-là? Allons, trouvez un autre jeu que ça. » Le gosse essayait d'autre chose. « René, tu entends ce que je te dis!... Amuse-toi immédiatement, ou sinon!... »

Soudain le vieil Israélite, qui était assis à côté de la musaraigne, se leva et partit. « Il faut attendre un instant, se dit M. de Coantré. Changer de banc, comme cela, brusquement, ça aurait l'air drôle... » Un moment passa. « Allons-y. Sans cela, quelqu'un va prendre cette place. » Mais il lui semblait que, de tous les bancs, on avait les yeux fixés sur lui, que ce changement de banc serait suspect et ridicule. Alors il décida de faire le demi-tour du square. Si la place était libre quand il revenait, il y aurait là un signe du destin. (Autrement dit, il voulait donner sa chance à l'éventualité dans laquelle il n'aurait pas à agir.)

Il fit le tour de la moitié du square. Tout ce temps, la place resta libre. Revenu, à dix mètres du banc, sur ses petites jambes, il fonça. Trop tard.

Un ouvrier à mine défaite venait de s'asseoir à côté
de la musaraigne.

M. de Coantré s'assit sur une chaise, à quelques
pas d'eux. Il reconnaissait qu'il était au-dessous de
lui-même. En vingt ans, la machine s'était rouillée,
la langue paralysée à force d'avoir été muette, la
volonté relâchée à force de n'avoir pas servi.

La lumière, sa tâche finie, remontait au ciel,
déjà ne touchait plus que les toits. Et la Victoire
du square, au sommet de sa haute colonne, retenait
le soleil sur ses seules parties nobles : son front, son
casque, ses ailes. Le square se dépeuplait. De gros
rats, à demi rassurés par la solitude, trottinaient
d'une plate-bande à l'autre. Sur le banc où était
M. de Coantré tout à l'heure, il ne restait plus que
la petite fille qui jouait toute seule, comme un
chat joue avec sa queue (sans doute qu'elle ne
pouvait pas rentrer à la maison, parce que sa mère
était sortie avec la clef; c'était sa mère qu'elle attendait). Une vieille femme grignotait un petit pain
dont elle détachait les morceaux à même son sac,
pour qu'on ne vît pas qu'elle mangeait, car c'était
là tout son dîner. Près de la jeune femme, l'ouvrier
fumait, fumait, comme fume un homme qui ne
dîne pas, ou un phtisique du peuple, qui fume
« pour s'empêcher de tousser ». Tout homme
normal eût souhaité de poignarder ce corps inter-
venu entre lui et l'autre corps, et qu'il s'abattît,
comme une draperie qui tombe; mais M. de Coantré
n'y songea pas un instant; il se disait seulement :
« Quel animal! » Enfin la jeune femme se leva et
prit du champ. M. de Coantré la suivit de loin,
ayant boutonné son veston, pour se faire une tournure plus mince et plus correcte. Elle marchait ter-
riblement vite! M. de Coantré ne savait pas du
tout ce qu'il lui dirait, s'il la rejoignait, ni seule-

ment s'il avait envie de la rejoindre. Il semble plutôt qu'il n'en avait pas envie. Quand il se fut convaincu qu'il n'y avait aucune chance pour qu'il la rejoignît, tant elle marchait vite, il se mit en quatrième vitesse, assuré d'être préservé d'oser par un cas de force majeure. La distance entre eux augmentant toujours, malgré ses efforts, un moment vint où il renonça. « Est-ce ma faute? Je ne peux pourtant pas voler dans les airs. »

Alors, ayant déboutonné son veston, il eut un sentiment de satisfaction en se disant qu'il fallait dîner. Tout cela l'avait creusé.

Mais à peine fut-il entré dans un restaurant à dix francs qu'il fut ravi par une charmante serveuse, et, sans prendre la peine de la détailler, retint sa place et alla se laver les mains, ce qu'en entrant il n'avait pas l'intention de faire. Quelle grâce naturelle! Blonde, le nez un peu en l'air, un doigt de poudre, les lèvres à peine rougies, et servant tous ces affreux nabots avec le même air de bonheur que si elle eût dansé un ballet, souriant au moindre mot, entrouvrant un peu la bouche chaque fois qu'elle se penchait vers un dîneur, comme si c'était le mouvement de se pencher en avant qui, en la gonflant un peu, lui entrouvrait la bouche. Mais la profondeur de son charme était faite peut-être de ce qu'il y avait de classique dans ce charme : c'était un visage français du XVIIIe siècle; on voyait à travers lui, jusqu'à l'émotion, la continuité de la race; elle ne pouvait pas s'appeler autrement que Manon. Et avec cela, avec ce visage et ce corps exquis, ces mains qu'elle approchait de vous en vous servant. Des mains? Non, des pattes, rouges, gonflées, crevassées, aux ongles noirs, des mains récureuses de plats, tripoteuses de reliefs sordides, dévideuses de tripes, — des mains effrayantes. M. de

Coantré ne la quittait pas des yeux. Mais, si avenante avec tous, elle ne l'était pas plus avec lui qu'avec un autre. M. de Coantré sortit du restaurant sans avoir seulement tenté de lier conversation avec elle. Assuré de la retrouver quand il voudrait, puisqu'il savait où elle travaillait, il pouvait céder sans remords à la douceur de s'abstenir.

Il avait même écourté son dîner, parce qu'il y avait tant de monde que des gens, debout, attendaient qu'une table devînt libre. M. Elie eût commandé, exprès, un plat de plus. M. de Coantré, à demi par bienveillance, à demi par agacement, se priva de café.

Si M. de Coantré avait fait là, au lieu d'un dîner léger, un dîner plus plantureux que de coutume — écartons même l'hypothèse où il eût bu plus que de coutume —, il est possible que tout ce qui se passa après le dîner en eût été changé. Chacun sait que le cours de notre existence peut être modifié par un acte que nous aurons fait en état d'ivresse. Mais peu de gens savent qu'un homme habitué, par exemple, à manger aux restaurants à six francs, est ivre après un repas de vingt francs.

Avec quel regret mourait la journée! il était neuf heures passées, et la nuit n'était pas encore close; il y avait trois heures que cela traînait. Des devantures, des lampadaires étaient allumés dans le demi-jour, lumières émouvantes qui semblaient dire à la nuit de se hâter, qu'il y avait partout de petits pieds qui battaient nerveusement le plancher ou le sol, de femmes qui attendaient qu'il fît noir pour être heureuses. Bientôt M. de Coantré déboucha sur le boulevard Rochechouart, et tout de suite le retrouva tel qu'il l'avait laissé il y avait dix-neuf ans. La petite flaque saumâtre du « plaisir » parisien stagnait, toujours la même

Une croûte, une lèpre de saleté couvrait les maisons, les façades ridicules et désuètes des « cabarets », les arbres pauvres, les visages chlorotiques et veules, les mains sans vie, vieillottes, sèches comme des feuilles mortes, qui devaient sentir l'obscurité et le travail, les bouches aux dents ternes, « bouches d'ombre », à coup sûr : il semblait que tout avait mariné dans la crasse, ou dans la suie qui tombait de ce ciel. Des radio-je-ne-sais-quoi déversaient une sorte de vomissement musical, comme si tous les dîneurs des restaurants s'étaient mis à rendre de « concert », une sorte de guimauve sans nom, sans sexe et sans âge, musique de limbes, bonne pour faire danser les ombres, au ralenti, sur les prés d'outre-tombe. Il n'y avait aucune poussée vitale ni vers le bien ni vers le mal, dans cette foule où la jeunesse elle-même n'était pas la jeunesse, rien d'instinctif, rien de vigoureux, et seulement rien de naturel dans cette foule aux visages de filles, où les plus mâles des mâles eux-mêmes se tuaient entre eux avec l'arme des femmes : cette masse exsangue, c'est un grouillement de vers blancs dans une feuillée. Tout homme en bonne santé, devant ce spectacle, ne pouvait avoir qu'un cri : ou Jésus-Christ, ou Sardanapale, mais pas ça! Balzac appelle Paris « un grand chancre » : l'impression était plutôt celle d'un grand mal blanc. Et ces reflets rouges des enseignes électriques sur les trottoirs, on aurait dit leur sang qui leur était sorti du corps, pour quoi ils étaient si blêmes. En passant devant l'avenue Rachel, on était frappé par un souffle d'air et d'arbres venu du cimetière Montmartre, comme s'il n'y avait de vie parmi ces vivants que celle envoyée par les morts.

Et c'était à cause de la laideur et du côté malsain de ces êtres que le plaisir et l'amour même pre

naient ici le visage du vice; s'il est vrai qu'il y a
vice, non dans telle sorte d'acte envisagée en soi,
mais quand nous désirons et avons honte de notre
désir, tenant que son objet en est indigne : seule
définition acceptable du mot *vice*.

M. de Coantré marchait sur le terre-plein du
milieu, d'une main tenant toujours ses gants, serrant de l'autre le dossier de la succession de sa
mère. Il s'amusait des garçons de bar aux lividités
de fantômes et des grands diables de chasseurs aux
rutilants uniformes de colonels poméraniens, des
Allemands athlétiques, en smoking, et des Kabyles
avec parapluies, au guet, attendant on ne sait quels
restes, comme les requins, autour d'un paquebot,
attendent ce qui tombera. Des libertines le croisaient. Mais M. de Coantré éliminait de ses espérances toutes celles qui étaient trop bien habillées,
avec les mots mêmes du peuple : « C'est trop haut
pour moi. » Il en suivit une qui s'arrêta à un tir
forain. Elle épaula, et pan! pan! fit mouche aux
deux coups; M. de Coantré s'éloigna mécontent. Il
en suivit une autre qui s'arrêta devant un haltérophile. S'étant mis près d'elle, il n'entendit qu'un
mot qu'elle disait à son compagnon, et ce mot était
« argent »; M. de Coantré se retira. En quoi il
eut tort, car le cercle autour de l'haltérophile valait
le spectacle. Un homme sur deux ne regardait pas
le bateleur; il regardait à droite, à gauche, derrière lui; enfin, pour diverses raisons, il ne s'intéressait qu'à ses voisins.

Devant ces femmes, M. de Coantré se disait :
« Tout cela est bon, mais, après cinq minutes, que
ferai-je avec elles? » Il sentait son corps avachi (si
monstrueusement, à la fois pesant et faible), il avait
une perception physique de la lourdeur de son
ventre, de la gracilité de ses jambes, de l'étriqué

de ses épaules, de la voussure de son dos, de l'atonie
de son regard, de l'énormité de sa tête, agrandie
encore par son épais feutre d'hiver. Une libertine
qui le dépassait mit des sous dans la casquette d'un
mendiant endormi. Il en fut si touché qu'il la
suivit, traversa derrière elle, qui monta dans une
des rues transversales. A cet instant, M. de Coantré
s'aperçut que le lacet de son soulier était défait, et
longuement le renoua, arrêté à côté (il se faisait
scrupule de la fouler) d'une vaste inscription à la
craie qui barrait tout le trottoir : *Jésus-Christ est
votre seul ami.* Quand il redressa le buste, la femme
avait disparu. C'était cela qu'il avait attendu.

Il était si fatigué que, chaque fois qu'il montait
sur un trottoir, il avait une sorte d'*ahan*, se sou-
levant et *se recevant* comme un cheval poussif sur
l'obstacle (on aurait cru entendre la selle grincer).
Il s'assit sur un banc et enleva son feutre, mais
illico un moineau lui fit une fiente sur la tête; il
se le tint pour dit et déguerpit. Comme la sous-
vitalité donne soif autant que la sur-vitalité, il
entra dans un bar, en face de la station du métro
Pigalle, et demanda une limonade, ce qui montre
que l'invention lui venait, car il n'avait pas pensé
à la limonade dans le café des grands boulevards.
Il aurait pu depuis longtemps se requinquer un peu
en prenant une glace ou en achetant de la pâte
de guimauve, aux baraques foraines. Mais ses vingt
années de réclusion avaient fait de lui le contraire
des enfants : il ne désirait rien. En outre, demander
une glace lui causait un peu de l'appréhension
qu'il avait à la pensée d'entrer dans une boîte de
nuit.

Dans le bar il vit, seule à une table, une jeune
demoiselle, et tout de suite sentit qu'en lui quelque
chose de nouveau se faisait. Pourquoi avait-il re

noncé avec tant d'aisance aux autres? Maintenant il le savait : parce qu'elles ne le touchaient pas assez. Celle-ci le touchait profondément. De beaux yeux noirs, un peu jaunette, comme Simone de Bauret, une veine interminable sur la tempe : une petite cigale, à coup sûr. Il s'assit à la seule table libre, qu'une table, occupée, séparait d'elle.

Maintenant il sentait que quelque chose se jouait.

Après un moment, pour se donner une contenance, il ouvrit son dossier et feignit de lire.

Etre quelque chose pour elle! Qu'elle devinât qu'il lui voulait du bien!

Maintenant il comprenait comment t a n t d'hommes et de femmes pouvaient se nourrir de ce quartier si décevant : c'était qu'ils en recevaient ce qu'ils apportaient, et chacun d'eux, ici, avait quelque chose au cœur. Par tous ces êtres, tant de bonheurs possibles. Ces visages disgraciés, mais chacun d'eux avec son pouvoir de faire jouir, et tout autant qu'un visage olympien. Cette ombre de Paris, mais si douce dans les cernes.

Derrière la donzelle, le feuillage éclairé des arbres se découpait en vert très pâle sur un ciel nocturne bleu et limpide comme des ciels d'Orient. Des lignes incandescentes traversaient ce ciel bleu : les fils électriques des tramways, rougis par le reflet des enseignes lumineuses rouges. Dans les maisons sombres, quelques fenêtres étaient encore illuminées, comme des rayons de miel. Au-dessus d'un immeuble sordide, une étoile sur la joue de la nuit. Même à Montmartre, il y avait des étoiles!

Il tourna encore une fois son regard vers elle, et il trouva qu'elle était bien digne d'être aimée. (Cependant tout cela, en lui, n'allait pas loin.)

Elle parla au garçon, et ses mouvements d'épaules

quand elle disait *non* rappelaient ceux de Simone de Bauret.

Une des joies des vrais riches, c'est de faire croire qu'ils sont pauvres. Ces petites pécores qui, au restaurant, vous regardent avec une moue, parce que vous portez une chemise à vingt-deux francs, — si elles savaient!... Mais M. de Coantré, à cette heure, souffrait de sa pauvreté. Il ne la sentait pas par un raisonnement, qui lui eût dit qu'il n'avait pas d'argent. Il la sentait à de petits détails qui n'étaient pas des preuves de pauvreté : à ses ongles trop longs, à l'odeur qui lui venait par le col, de son gilet de flanelle graisseux, à l'odeur aigre et fade, restée à ses doigts, de la serviette du lavabo du restaurant (les serviettes qui sont restées mouillées trop longtemps), à cette tache séchée sur le revers de son veston, à ses cheveux trop longs sur sa nuque (au moins cachaient-ils l'épais bourrelet de quinquagénaire que la chair faisait sur cette nuque).

L'affluence fut plus grande dans la rue. A l'horloge il vit qu'il était minuit. Sans aucune hésitation, il décida de rester. Que dirait-il demain à Arago? Bah! il verrait bien.

Il songeait que, si la table occupée entre eux devenait libre, jamais il n'oserait s'y installer. La même défaite qu'au square d'Anvers. Son espérance, c'était qu'elle sortît. Dehors, il l'aborderait sans gêne.

Des éphèbes suspects, sinon évidents, vinrent boire au comptoir, le bas du visage gonflé par l'alcoolisme, n'ayant de frais dans tout le visage que la nuque demeurée enfantine. Ils mangèrent des sandwiches en les tenant à deux mains, et en arrachant, comme de jeunes chiens. M. de Coantré s'efforçait que la répulsion qu'ils lui inspiraient fût visible pour tous sur son visage; il la déployait comme une fière oriflamme. Si l'un d'eux était monté dans un tramway qu'attendait le noble comte, le noble comte eût attendu le tramway suivant.

Deux petits poisses aux yeux de rongeur, aux bouches de revendication et de tuberculose, se mirent à s'insulter, au comptoir. Ou plutôt l'un insultait l'autre, qui ne disait rien, feignait de prendre cela à la blague. M. de Coantré fut heureux qu'ils partissent. Cet homme qui, depuis des heures, démontrait à satiété qu'il « n'était pas un homme » (selon le langage des Méridionaux et des Arabes; et le mot est bien beau) retrouvait assez de fierté pour souffrir de voir un individu, fût-il de cet acabit-là, se laisser insulter sans répondre.

Les lents et silencieux passages d'escadrilles d'agents cyclistes pouvaient été interprétés différemment, soit qu'ils parussent une menace — rappelant un peu les passages nocturnes des avions sur Paris, — soit qu'au contraire ils montrassent, par leur présence tutélaire, que tout est dans l'ordre quand on trafique de la coco, quand on combine des départs pour Buenos Aires, quand les petites filles se prostituent, quand chacun a une arme prohibée dans sa poche, etc.

Une femme entra, du dernier ordre. Sa voix éraillée, abominable, semblait sortir de la partie la plus triturée d'elle-même, et aussi ce qu'elle disait, car rien qui n'en fût abject. On voyait que les hommes qui lui parlaient la méprisaient, mais qu'elle ne les dégoûtait pas. On pouvait désirer ce monstre, et rester un homme *normal*, — un homme normal et moral, un père de famille qui témoigne en justice, et à qui tout le monde serre la main.

Après avoir vagué quelque temps dans le bar,

la louve découvrit M. de Coantré, le regarda longuement, puis s'approcha de sa table, et des avant-
bras s'y appuya. Il vit ses ongles noirs, ses lèvres à
deux couleurs, comme un sorbet (rose naturel vers
l'intérieur, rouge de fard à l'extérieur), il sentit son
haleine de pommes de terre frites (son seul dîner?)

— Tu me paies à boire, mon coco?

— Non, dit M. de Coantré, secouant la tête, et
tenant les yeux baissés sur une des feuilles de son
dossier, avec un air très méchant.

— Pourquoi? demanda-t-elle, non sans une sorte
d'ingénuité.

— Parce que j'ai à faire, je travaille, dit-il, montrant ses papiers. Il avait sorti son crayon, et, pour
affermir sa contenance, écrivait n'importe quoi dans
les marges du feuillet. Ses yeux, sans doute, se posant
sur le feuillet, avaient été frappés par le mot *renonciation,* car ce mot revenait toujours parmi ceux
qu'il écrivait : « Renonciation... renonciation... »
Nous savons qu'on renonçait beaucoup dans les
affaires de Mme de Coantré (le comble étant que,
chaque fois qu'elle renonçait, elle devait payer
pour avoir le droit de le faire).

— Tu travailles... dit-elle d'un air profond. A
quoi tu travailles?

— Je suis journaliste, et je dois donner mon
article cette nuit, dit-il à voix haute, pas fâché que
le patron du bar eût cette explication de sa présence prolongée. Allons, laisse-moi.

— Méchant! dit-elle, en lui tapant sur le bras,
à la manière des pensionnaires, des jeunes filles de
province, des « cousines ».

Elle sortit, et M. de Coantré tourna le visage vers
la petite. Alors — mais quel fut celui des deux
qui commença? — ils se sourirent.

Il était une heure et demie. M. de Coantré, de

venu journaliste, se fit apporter de quoi écrire, et se mit à copier, au hasard, page sur page de son dossier. Le couple qui, à la table voisine, le séparait de la petite, partit. Bien entendu, il ne bougea pas. Mais il se demandait si la petite comprenait qu'il attendait qu'elle sortît, et désespérait de le lui faire comprendre...

La louve revint. Toutes les fois qu'elle regardait M. de Coantré, elle se mettait à chantonner, comme si c'était de lui qu'elle tirait ce filet de musique. Il flaira qu'elle allait l'aborder de nouveau. Et il copiait, copiait toujours (en ce moment, la facture de l'entreprise de monuments funèbres).

Pour l'inhumation du corps de feu Mme la comtesse de Coantré, ouverture du caveau de famille, nettoyage de l'intérieur, attente et réception du corps, four

Il sentit qu'elle s'était arrêtée devant sa table. La tête baissée, il plissa les yeux, dans l'attente du coup, il écrivit fébrilement :

niture, taille, bardage, descente, pose et calfeutrement d'un dallage en roche de Chassignelles de 005 ép^r à 2 sciages...

— Tu n'as pas encore fini d'écrire tes con...?

Il ne répondit pas, crispa les lèvres. Très simplement, elle saisit un feuillet du dossier, et lut, avec son air de stupidité étrusque :

— Succession...

Il se leva, lui arracha le feuillet.

— Succession! Alors, tu n'es pas journaliste, tu es huissier! C'est toi qui tires les sous des gens!

On connaît les *geysers* de M. de Coantré. Depuis la veille, à six heures du soir, il n'avait pas été *un homme*. Soudain il fut un homme. Cette femme

avait peut-être son mec, là, quelque part, qui allait
s'avancer sur lui. Il y songea rapidement, et passa
outre. On s'étonne quelquefois de trouver des pères
de famille, plus pusillanimes que la lune, égorgés
sur le seuil d'un bouge. C'est que, à un moment,
comme M. de Coantré, ils ont passé outre : ils col-
laient à leur passion comme le fer à l'aimant qui
l'emporte. Debout, M. de Coantré interpella le
patron.

— Alors, tout de même, est-ce qu'on ne pourrait
pas me fiche la paix? J'ai à travailler, moi, j'ai à
gagner ma vie.

(Aussitôt que M. de Coantré mentait, il reprenait
toute son assurance.)

— Allons, Coquinette, dit le patron, tu ne vas
pas laisser tranquilles les clients? Tu veux que je
te foute dehors?

M. de Coantré se rassit. Il tourna les yeux vers
celle du pays d'oc, et leurs yeux se rencontrèrent,
et encore une fois ils se sourirent, et il lui disait
sans parole : « Regarde ce que je supporte pour
toi! Mais sors donc, enfin, petite imbécile, et je
bondirai à tes trousses! » Puis il se courba de nouveau sur ses feuillets, et continua de copier :

Fermeture du caveau, réfection des joints,
coût 380

Il copia longtemps encore, cramponné à cette
table, se disant qu'il tiendrait jusqu'au bout, que
cette petite fille finirait bien par avoir envie d'aller
se coucher; et d'ailleurs sans fatigue, sans somnolence, galvanisé par son désir. Il ne venait plus
que de rares clients, au comptoir, qui secouaient
les dés dans des cornets. Toujours, dehors, glissaient en silence les rondes très lentes des agents
cyclistes. S'il avait eu un brin d'esprit, M. de

Coantré fût sorti et leur eût dit : « Messieurs du guet, faites donc sortir cette petite cigale, car moi je n'ai pas le courage de l'aborder dans ce café, tandis que dehors j'en fais mon affaire. » Mais c'est là quelque chose encore à quoi il ne songea pas.

La louve était revenue. Maintenant, dans un coin, elle se maquignonnait à deux travailleurs de la nuit. L'un d'eux disait : « Dix francs pour nous deux le copain... », et elle : « Non, non, quinze francs... » Puis on entendit les baisers bruyants des grues (beaucoup de bruit pour rien), et les hommes burent les sept maladies capitales à la bouche distendue comme du caoutchouc. M. de Coantré copiait toujours. A deux heures et demie le patron et le garçon cassèrent la croûte. Cela fut fait à la papa, c'était le patron qui servait le garçon; M. de Coantré s'attendrit sur le peuple, etc. A ce moment un homme entra, alla droit à la table de la petite et s'y assit. C'était un valet de boîte de nuit, ou peut-être un musicien : pantalon et gilet noirs, plastron empesé et le nœud papillon noir, veston mauve percé aux coudes. Ils causèrent à voix basse. M. de Coantré se tassa, se voussa, devint quelque chose de tout petit, comme une mouche qui se recroqueville quand elle meurt.

Après deux minutes, l'homme et la femme sortirent ensemble, sans qu'elle eût jeté un seul regard à M. de Coantré. Et il entendit s'élever cette musique pathétique qu'entendent les hommes, au moment où une étrangère émouvante sort à jamais de leur vue et de leur vie.

Il rangea ses papiers et décampa, marcha au hasard. Oui, il n'avait pas pensé à cela, qu'elle attendait quelqu'un. C'était pourtant simple, mais il n'y avait pas pensé. De même qu'il n'avait su

quelle consommation demander dans le café des
grands boulevards. Il était trois heures moins dix;
c'était cette fin de la nuit, quand les êtres deviennent à la fois plus audacieux et moins exi-
geants, parce que quelque chose se termine sans
qu'ils y aient trouvé ce qu'ils désiraient. Sur les
terre-pleins de la place Pigalle, des hommes faisaient les cent pas, des hommes qui avaient attendu,
cherché ou surveillé toute la nuit. Des clochards
dormaient sur les bancs, évoquant des soldats morts,
ou une sorte d'indigénat français. Des adolescents
aux sourcils froncés étaient accoudés à l'entrée du
métropolitain, comme des génies du Sommeil
appuyés contre un tombeau. Des promeneuses
erraient encore, épaves rejetées par la nuit; elles
n'étaient pas plus moches que celles qui avaient
trouvé preneur; mais peut-être était-ce au contraire,
dans cette nuit, leur troisième sortie, comme un
cheval de picador qui a été blessé deux fois et
qu'on ressort pour la troisième. Toutes ces femmes
qui avaient fui de lui, comme de l'eau s'écoule entre
les doigts! Et il les avait perdues par sa faute.
Pourtant il n'avait pas l'impression qu'il en souffrait. Que de soucis il aurait eus! Et puis, c'était
le doigt du destin. Il héla un taxi, et en route pour
Arago.

Mais lorsqu'il fut dans la voiture, et sentit que
chaque tour de roue l'éloignait de ces lieux pleins
de possibles, cela fut comme si on étirait à mesure
un lambeau de sa chair, qui enfin se déchirait.
Aux flaques de lumière écarlate sur les trottoirs
avaient succédé des flaques de lumière blafarde :
la mort succédant à la vie. Il était affreux de rentrer
dans cette turne, parmi ces morts (pour n'y trouver
même pas de courrier), avec les mains et le cœur
vides. Quand il descendit du taxi dans la noire

avenue déserte, il eut un serrement de cœur. Une
puissante odeur de feuillage frais le saisit; mais
ce bucolique, à cette heure, n'avait pas la tête aux
feuillages, mais aux êtres. La voiture était partie.
En se dirigeant vers la grille de la maison, il vit
sur le Paris du centre le ciel rose, qui rendait
presque invisibles les étoiles, mystérieusement
chauffé par les lumières des hommes, ou par le souvenir de ces lumières, et clair dans le grand corps
noir de la nuit, de la clarté qu'ont les paumes des
nègres. Alors il sentit qu'il ne pouvait pas rentrer
comme cela. qu'il fallait tenter encore quelque
chose, qu'il fallait épuiser la nuit, et que c'est seulement quand il rentrerait dans le plein jour que
la nuit aurait dit non. Et cet homme craintif, *passant* outre encore une fois, s'enfonça dans les pa-
rages de la guillotine, le long du mur sinistre de
la prison, au cœur de la nuit.

Avenue d'Orléans, les petites voitures cahotantes,
montagneuses, des chiffonniers, avec leur lanterne
allumée, et leur haridelle minuscule, avaient un air
de misère qui sentait l'Orient. Les balayeurs
traçaient leurs arcs de cercle réguliers sur le trottoir, comme des jouets mécaniques. A la porte
d'Orléans, un seul café était ouvert. Il s'assit à la
terrasse vide, espérant vaguement quelque chose,
qu'au fond de lui-même il n'espérait pas.

Il n'y avait pas en lui, à proprement parler, de
la tristesse. De même que, après avoir écrit quelques
lettres pour se trouver une situation, il s'en était
tenu là, ayant l'impression qu'il avait fait tout ce
qu'il devait, de même, cette fois, il avait l'impression que l'épreuve était faite, que le destin avait
signifié qu'il ne devait pas bouger de sa coquille.
Ce qu'il redoutait par-dessus tout, maintenant,
c'était qu'une jolie fille apparût dans le café. Il

faudrait, encore une fois, ou souffrir de n'oser pas, ou, si on osait et accrochait, se fourrer dans d'effroyables tracas. « Renonciation... renonciation... renonciation... »

Il s'assoupit, tenant toujours son dossier, où ses mains en sueur avaient marqué une tache poisseuse.

Quand il s'éveilla, des formes sans cesse sortaient de la nuit plus pâle, venant de la banlieue, ouvriers noirs avec leurs petits sacs, leurs souliers couverts de la boue sèche d'il y a trois mois; et les deux premiers gestes de leur journée, avant de prendre le métro, étaient d'aller boire quelque chose, et d'acheter le journal. Toute la région sud-est, vers Arcueil, était entièrement dans l'ombre, sans une lumière. C'était la zone, peuplée d'Italiens, d'Arabes, de Juifs. Mais à cette heure, dans son obscurité, elle évoquait quelque chose de mystérieux et d'assez redoutable, quelque chose comme le « no man's land » aperçu des tranchées avancées, le désert aperçu du dernier bordj, le large aperçu du port. Des ténèbres de ce large débouchait quelquefois, tout éclairé, comme un paquebot, un autobus vide roulant à toute allure, venant de son dépôt.

L'aube pointa, le ciel fut couleur de pernod. M. de Coantré restait là, demandant café au lait sur café au lait, des croissants, un sandwich, des cigarettes, fumant comme un sapeur : ah! cela, au moins, c'était des réalités! Quand il s'était assis — écroulé — à cette table, une fatigue sans nom le terrassait, une de ces fatigues qui vous tournent sur le cœur, vous donnent envie de vomir. Maintenant, tous ces bonheurs de compensation (café, tabac, être assis, avoir sommeillé...) le ragaillardissaient. Cette heure de l'aube, dans les villes, il y a en elle tout le mystère et toute l'espérance de la journée. L'aube et le crépuscule : les deux heures citadines qui suggèrent l'aventure. Mais M. de Coantré n'attendait rien, et était content de ne rien attendre.

A six heures et quart il y eut une grande marée d'hommes s'engouffrant dans le métro. C'était vraiment un monde d'hommes que ce monde d'avant l'aube et du premier matin : toute la ville, à cette heure, était aux hommes, comme une ville d'Orient. Cela ne gênait pas M. de Coantré. Au contraire, le sentiment qui l'avait soutenu toute cette nuit s'assainissait. Il se demandait s'il n'y avait pas eu maldonne, si ce qu'il avait cherché n'avait pas été, avant tout, un contact avec le peuple, et si ce n'était pas par un vieux tic bourgeois qu'il n'avait trouvé d'autre moyen, pour aller au peuple, que d'aller à ses femmes. Quand, à sept heures, il vit s'élever, sur la zone, les premières fumées des usines, il en fut ému : déjà des hommes peinaient, quand tant d'autres n'étaient pas encore éveillés. Il se souvint de leur atelier, à Levier et à lui, à la barrière du Trône, et de la gêne qu'il ressentait, quand, rentrant de quelque « noce », à cinq heures du matin, en fiacre découvert, — habit, tube, camélia à la boutonnière —, il rencontrait les premiers ouvriers, la pioche sur l'épaule, et que le plaisir et le travail se croisaient avec le même visage blanc... En ce qui regardait les femmes de cette nuit, il était satisfait de se dire qu'il avait désiré. S'être assuré qu'il n'y avait qu'à se baisser et à prendre lui semblait suffisant. Déjà, pour lui, cette nuit se transfigurait : il avait l'impression que, s'il avait laissé échapper des femmes, c'était parce qu'il le voulait bien.

A sept heures passèrent les boueux; ils avaient l'air de faire exprès de prendre l'accent parigot, tant leur accent était fort. Le garçon dans le café nettoyait les dominos. Vers huit heures et quart, déferlant de la banlieue vers le métro, il y eut une grande vague de femmes (pour l'ouverture des bureaux à neuf heures). Puis l'afflux cessa. Un aspect de Paris s'effaça, son aspect habituel réapparut : la journée bourgeoise commençait. M. de Coantré jugea son *épreuve* terminée. Il sortit son portefeuille pour régler ce qu'il devait au café, vit le billet de cinq cents francs intact, et regretta le bonheur que ce billet eût pu lui procurer. Il devait six francs; il en donna dix et dit au garçon de garder la monnaie. Humble et triste geste : après toute une nuit où cet homme avait cherché à s'insérer dans la vie du peuple, il n'aboutissait qu'au geste éternel du bourgeois : donner de l'argent. Or, il arriva que le garçon ne comprit pas ce que lui disait M. de Coantré, et rendit la monnaie. Alors M. de Coantré, voyant que même ce geste-là faisait long feu, n'insista pas, et laissa dix sous de pourboire.

En sortant, il remarqua le nom du bar voisin : *Tout va Bien.* « Oui, pensa-t-il, avec une sorte de sourire, tout va bien. » Il imagina quelle eût été son amertume s'il avait passé une heure et demie à faire toilette hier soir, en vue d'avoir une aventure cette nuit, cela en pure perte! Il en frissonna. Il héla un taxi, et lui donna l'adresse du boulevard Arago.

Si nous n'avons pas décrit plus fortement les sentiments de M. de Coantré au cours de cette nuit, c'est que ces sentiments n'étaient pas plus forts.

VIII

Dans un immeuble modeste qu'il possédait à Passy, M. Octave de Coëtquidan, au lendemain de la guerre, avait augmenté le loyer d'une nouvelle locataire selon des proportions illégales. Un temps arriva où la locataire, avertie et poussée par un gendre qu'elle venait d'acquérir, avocat retors, menaça M. de Coëtquidan d'un procès. Pour une question de forme, jouant au détriment de la locataire, l'issue du procès était douteuse. Mais, s'il le perdait, le baron pouvait, en mettant les choses au pire, avoir plus d'une centaine de mille francs à payer.

En ce mois de juillet, cette affaire arriva au comble de son acuité. Si bien que M. de Coëtquidan décida de faire un don de dix mille francs à une œuvre de bienfaisance.

Voici le rapport entre ces deux faits.

M. Octave, avec toute sa surface sociale, se voyait manœuvré par ces gens de rien. A l'aide de cette parade d'argent — parade aux deux sens du mot — il se redonnait une haute idée de soi-même. Faisant figure, aux yeux de son homme d'affaires et de ses conseils, d'égorgeur, et d'égorgeur ridicule, pour avoir abusé de cette personne, et en être puni, il reprenait du poil de la bête en pouvant jouer de ses dix mille francs.

Il n'avait de préférence pour aucune œuvre. convaincu que, des dix mille francs qu'il donnerait, à quelle que ce fût, moins de la moitié serait employée en faveur des malheureux, le reste allant à divers usages, et en partie dans la poche des dirigeants de l'œuvre. Par ailleurs, les malheureux lui étaient indifférents.

Il y avait à la maison un annuaire des œuvres. Le baron l'ouvrit au hasard, et tomba sur l'Œuvre des Berceaux Abandonnés. Il envoya aux Berceaux Abandonnés un chèque de huit mille francs — entre temps il avait trouvé que dix mille était trop — et incontinent se prit à détester cette œuvre. Mais plus il avait de dégoût pour les berceaux, les pauvres, etc., plus aiguë était l'amère jouissance qu'il éprouvait à avoir sacrifié une pareille somme à un organisme dont il bafouait l'activité.

En même temps, comme il était homme de bien, il avait honte d'avoir fait ce geste dans les sentiments où il l'avait fait — et surtout lorsqu'il songeait à Léon — au point que peu d'instants après avoir été jeter le chèque à la boîte aux lettres, apercevant un pauvre sur le trottoir, il fouilla dans son gousset pour lui donner. Il hésita s'il donnerait dix ou vingt sous, prit entre ses doigts vingt sous, puis les changea pour dix sous quand il vit que le pauvre avait les mains propres, ce qui lui parut indiquer que l'homme avait de l'argent. Ensuite, ses dix sous donnés, il se retourna, vit une personne donner au pauvre, puis une autre, et pensa : « Il gagne ce qu'il veut! J'ai été dupe, encore une fois. »

Ces mouvements divers ayant enfin été assimilés, il s'admira beaucoup pour son geste, et dans cette admiration, comme il l'avait prévu et espéré, le mécontentement qu'il avait de soi disparut.

Se berçant toujours de la pensée qu'il pourrait ne donner rien, ou donner le moins possible, à son frère et à son neveu, et redoutant l'arme que serait entre leurs mains la connaissance fortuite de sa libéralité, il avait prié l'œuvre de ne pas divulguer son nom.

Les jours qui suivirent, tout occupé de sa gloire, il attendit sans patience la réponse de l'œuvre, et d'avance en léchait et surléchait les termes. Il attendit huit jours pleins, ce qu'il jugea insensé. La réponse était aimable, mais non pas autant qu'il l'avait prévu. En fait, les gens du comité de direction de l'œuvre, chaque fois qu'ils recevaient un don inopiné et inexplicable, se disaient tout de suite : « C'est un homme qui veut être quelque chose dans l'œuvre. Dans quel but? etc. » Et tous, d'instinct, serraient les rangs pour empêcher l'indiscret de passer, car ils ne s'occupaient de cette œuvre qu'en vue de hâter leur avancement dans la Légion d'honneur. D'où, sous des formules aimables, la froideur qu'ils avaient laissé percer dans leur réponse à M. de Coëquidan, afin de l'avertir qu'il était repéré.

Sur ces entrefaites, M. de Coëtquidan reçut la visite de son frère.

Ici, nous devons faire un retour en arrière analogue à celui que nous avons fait pour M. de Coantré : M. Elie et les femmes.

M. Elie avait atteint sa majorité en croyant que les femmes ont par-devant les mêmes attributs que l'homme, et que c'est par pudeur qu'on ne représente pas ces merveilles sur les statues et dans les tableaux. Cela prouve au moins qu'on n'a guère de conversations coupables dans les collèges de la Compagnie. Le régiment ne put le déniaiser : rachitique, il ne fit pas de service. Ce qui l'éloignait des femmes, c'étaient les scrupules religieux, la croyance que son corps était un objet répugnant (il l'était en effet, mais les femmes ne sont pas si regardantes), et surtout cette timidité congénitale qu'il partageait avec son frère, très différente de celle que nous avons vue à M. de Coantré dans sa nuit de folies, qui était celle d'un homme de cinquante-quatre ans, resté à l'écart, durant vingt années, du monde et des femmes.

A trente-cinq ans, M. Elie n'avait jamais connu de femme. C'est alors qu'un pilier de café de son acabit, M. de Corson de Beauxhostes, agent d'assurances à Bois-Colombes, et qu'il retrouvait chaque soir chez Scossa, lui présenta sa maîtresse, Mlle Léa Meyer. Un mois après, cet assureur à belle moustache lui jetait son amie dans les bras, friand de voir son trouble et son embarras en face des femmes. Léa Meyer installée sur ses genoux, M. Elie la caressa un peu, mais ne se sentit pas le désir de parachever. M. de Corson avait eu beau lui dire que Léa était une Juive « pas comme les autres », il pensait qu'elle était crochue, et que « l'acte » serait une grande source de complications et de chaînes, sans compter la damnation éternelle au bout de l'affaire, et c'est payer bien cher quelque chose dont on n'a pas envie. Il s'excusa sur ses principes religieux. Une Parisienne l'eût plaisanté. Léa dit qu'elle n'admirait rien tant que les gens qui prennent leur religion au sérieux. Mais alors M. Elie, qui se fût arc-bouté sur la religion si Léa s'était moquée de lui, par génie de la contradiction dit qu'il avait menti : il avait un grand amour au cœur, et voulait être fidèle. Déjà il lui fallait en faire accroire, ce qui le montre conscient de la pauvreté de sa vie.

Pendant vingt-cinq ans, et longtemps après que

M. de Corson fut mort, Léa resta avec « Noncle »
— ainsi appelait-elle M. Elie — sur le pied d'un
collage blanc. Il allait la voir tous les samedis dans
son petit appartement de la rue de La Roche-
foucauld, lui apportant chaque fois, dans ses poches
pleines de miettes de tabac et de choses innom-
mables, pour une vingtaine de francs de charcu-
terie ou de gâteaux. Il la caressait un peu, sans
jamais se déshabiller. Une fois par an il l'emme-
nait au théâtre, en matinée, à une pièce qu'il avait,
lui, envie de voir, — *la Fille de Mme Angot, Monsieur de Pourceaugnac* (à cause des clystères), ou
la reprise de *la Belle Hélène*. Une fois par an il
lui « payait » quelque chose, qui ne devait pas
excéder une soixantaine de francs (chiffres de 1924).
    Léa Meyer n'était pas plus intéressée que vous
et moi, c'est-à-dire qu'elle l'était dans les limites
des convenances françaises. Mais, comme elle était
Juive, elle ne pouvait seulement faire la remarque
que ceci ou cela lui semblait cher, sans qu'on s'exclа-
mât : « Elle est bien Juive! » Devant ces réputa-
tions contre lesquelles il n'y a rien à faire, la ten-
tation est de se laisser aller à être tel qu'on vous
représente, puisque s'amender n'y changera rien :
si les nobles savaient combien peu on leur tient
compte du mal qu'ils se donnent pour ne paraître
pas « fiers », ils s'épargneraient de se donner ce
mal, et resteraient naturels. Léa eut l'élégance de
continuer, malgré sa réputation, à n'avoir vis-à-vis
de l'argent qu'une âpreté simplement aryenne. Elle
pensait bien qu'il était possible que M. Elie vînt
vivre avec elle, si Arago se disloquait, ou la couchât
sur son testament, seule coucherie dont elle le sût
capable. Mais sa conduite à l'égard du vieillard
s'inspira peu de cette pensée, qu'il lui arrivait
même, souvent, de perdre de vue.

M. Octave et Mme de Coantré étaient au courant de cette situation, parce que M. Elie n'avait
pu se retenir, par gloriole, de dire qu'il y avait
une femme dans sa vie. Mme de Coantré croyait
que Léa avait été sa bonne amie quand il était
jeune, mais ne l'était plus. M. Octave, plus averti,
était sceptique. Tous deux étaient si convaincus
qu'il n'y avait nul péril de ce côté, que l'idée n'était
pas venue à Mme de Coantré, sur son lit de mort,
de faire jurer à son frère qu'il n'irait pas habiter
chez Léa; il eût juré, et s'y fût tenu, ayant des
principes. Mais, en vérité, M. Elie avait toujours
été résolu aussi bien à ne vivre jamais avec Léa,
qu'à ne lui rien laisser d'important après sa mort.
Au point que, le départ d'Arago décidé, il se garda
de le lui dire, crainte qu'elle ne l'assiégeât pour
qu'il prît pension chez elle, et se réservant de la
mettre devant le fait accompli, quand la solution
qu'il souhaitait, et dont il ne doutait pas, serait
chose faite : c'est-à-dire quand son frère lui aurait
donné de quoi vivre dans une pension de famille
honorable.

M. Elie, le matin du jour où il alla chez son
frère, fit une colère à Arago. Comme on y pré-
venait ses moindres désirs, d'ordinaire il s'y tenait
tranquille, et ne colérait que pour des choses du
dehors : par exemple, s'il recevait une lettre dont
l'enveloppe portait « 27, boulevard Arago », au
lieu de « 27 *bis* »; on aurait dit alors, à le voir
colérer, que le *bis* était une sorte de particule des
chiffres. Cette fois, la femme de ménage avait jeté
le morceau de savon de sa table de toilette. Elle
prétendait qu'il n'y en avait presque plus, qu'on
voyait au travers : lui, il soutenait que le savon
aurait duré une semaine encore, et tempêtait, non
sans une peur secrète; assez bas pour que personne

n'entendît, il marmonnait qu'elle l'avait volé. Cette scène aurait été plus compréhensible si on avait su que M. Elie, entêté d'avoir l'après-midi une explication avec son frère, se mettait par artifice dans l'état de *rogne* nécessaire à ce projet.

Le baron, quand on lui annonça son frère, saisit un de ses vestons et une bouteille de détacheur. M. Elie, entrant, le trouva en train de détacher son veston, avec un air lugubre. Tout de suite, M. Octave donna pour certaine la perte de son procès; en outre, il venait d'avoir des revers à la Bourse. Aussi, dès maintenant, il commençait de faire des économies. Par exemple, il détachait lui-même son veston, au lieu de l'envoyer chez le teinturier.

Tout cela était destiné à expliquer, préventivement et à toutes fins utiles, qu'il ne fallait pas compter sur lui pour les sacrifices d'argent. Il ne se donnait pas tant de mal avec Léon. Mais, après quelques répliques, M. Elie lui fit compliment sur son air de jeunesse, ajoutant avec venin : « C'est vrai! Avec les soucis que tu as!... », ce qui montra à M. Octave qu'il avait perdu sa peine. M. Octave fait la grimace quand son frère lui dit qu'il a l'air jeune, comme Léon fait la grimace quand son oncle lui dit qu'il a l'air bien portant. O hommes, toujours à tenter le destin!

M. Elie, très en forme, n'y alla pas par quatre chemins.

— Alors, qu'est-ce que je fous, le 15 octobre?

— Mon ami, je te le demande.

— *Nan*, c'est moi qui te le demande, jeta M. Elie, avec une fureur si prompte qu'il était visible qu'elle était toute prête d'avance. Tu m'as dit : « On ne crève pas quand on a un frère. » Qu'est-ce que tu vas faire pour moi?

M. Octave ressentit l'indignation d'un général autrichien devant le sans-gêne de la stratégie napo léonienne. Il dit, avec d'autant plus de douceur :

— Je suis tout disposé à faire quelque chose pour toi, Elie. Seulement, je trouve cela un peu *unfair*, quand il te serait si facile de te remettre en selle tout seul.

— Regrette, mais j'comprends pas l'anglais. Explique-toi.

—Tu as neuf mille francs de rente. En mettant ton capital en viager, avec l'âge que tu as, tu triplerais ton revenu.

Le plan de M. Elie était simple : se faire donner une pension par son frère, en le menaçant d'aller vivre avec Léa Meyer, voire de l'épouser. Ces menaces n'étaient qu'un instrument : il était aussi décidé à ne mettre ni l'une ni l'autre à exécution, qu'il était convaincu qu'Octave céderait au premier mot. La solution proposée par son frère le dérouta et le séduisit. Il dit qu'il ne savait pas ce qu'est une rente viagère, et longuement M. Octave le lui serina. Quand il eut compris, il se défia. Ce Pactole lui fit peur, parce qu'il lui était proposé par son frère. Il préféra l'argent de son frère, et grommela :

— Et si la compagnie d'assurances fait faillite? S'il y a la guerre ou la révolution? Si l'Etat met la mains sur les assurances? J'marche pas. Pas si bête.

M. Octave eut beau lui expliquer pourquoi ses raisons étaient enfantines, il s'obstina. Plus le baron soutenait la rente viagère, plus M. Elie se barricadait, affermi dans ses soupçons : « Il veut gagner sur moi. » Ils luttèrent ainsi quelque temps, puis Elie :

— N'insiste pas. Jeter trois cent mille francs dans un gouffre! Si tu ne veux pas me donner de quoi vivre décemment, j'suis pas embarrassé de ce que je ferai. J'sais où aller.

— Où iras-tu? demanda le baron, vaguement inquiet.

— Les femmes valent mieux que les hommes. Il y a des femmes qui, depuis vingt-cinq ans...

— Elie! Tu ne feras pas ça!

— Pourquoi?

Est-ce la peine de donner le détail de leur dialogue? des griefs bilieux de M. Elie? (« Qui le saura seulement? Est-ce qu'on sait que j'existe! La famille!... Il faudrait que je compte avec l'opinion de la famille, pour laquelle je n'ai jamais compté! ») Il y eut là une scène classique : les lieux communs volent vers nous comme des ramiers. M. Octave était battu d'avance. Son frère! Une vieille grue juive! Son inquiétude ne s'accrochait plus qu'à une question : de combien me rançonnera-t-il? M. Elie demanda dix mille par an. Il en avait neuf; avec dix-neuf mille, il pouvait vivre, « sans faire honte à la famille ». Le baron respira (non sans un pincement au cœur) : Elie aurait pu exiger le double. Mais qui l'empêcherait demain d'élever ses prétentions? Il offrit huit mille, qu'Elie accepta.

« Bien entendu, pas un mot de cela à Léon de Coantré », dit le baron. L'autre ricana : « J'pense bien! »

M. Octave, qui avait horreur des effusions, jugea court, néanmoins, le merci de son frère.

A peine obtenu ce qu'il espérait, M. Elie, que le contentement épanouissait, se sentit une violente envie de fumer (la cigarette en descendant de chez Mlle Germaine...). Son frère ayant, ou plutôt s'étant donné, par stylisation de vie, la phobie du tabac, M. Elie ne fumait jamais chez lui. Mais cette fois, fumer chez lui, c'était mettre le pied sur la poitrine de l'adversaire terrassé. « On peut fumer? » demanda-t-il. M. Octave sentit le coup. Une heure

plus tôt, il eût répondu : « Tu ne peux pas attendre
d'être sorti de chez moi? » Mais, à présent, son
frère avait barre sur lui (et le savait, et voulait
montrer qu'il le savait) : cette petite histoire de
fumerie fut le premier trait auquel on connut que
la situation était retournée.

— Si c'est tout à fait nécessaire, dit le baron,
avec une grimace.

M. Elie eut un rictus :

— Oui, c'est tout à fait nécessaire.

Naturellement, il n'y avait pas de cendrier.
M. Octave dut plier une feuille de papier sur laquelle son frère mit les cendres de sa cigarette. Il
en tomba sur le tapis. L'expression que prit le
visage de M. Octave, en voyant la fumée dans sa
chambre (sa chambre!...), fut digne du théâtre. Mais
quand M. Elie, ayant jeté sa cigarette, en alluma
une autre, comme par bravade, le zénith du martyre fut atteint par M. Octave, et le nadir de la
jouissance vache par M. Elie. « Voilà ce que sera
l'avenir, se disait le baron. Au moins, je suis tout
de suite averti. »

Le baron surprit aussi le regard sarcastique que
M. Elie jetait sur un petit haltère de trois kilos,
posé dans un coin de la chambre, et que M. Octave
soulevait chaque matin trois ou quatre fois : il
sentit que son frère le méprisait, et resta sans
réaction. Cependant M. Elie, pour des raisons
diverses (il était content de faire enrager Octave...
il ne « savait pas partir »... il se piquait de ne
partir pas trop vite, après avoir reçu ce qu'il attendait...), ne démarrait pas. Il avait le ferme propos
de parler de choses et d'autres, et parlait de lui.
Pourtant des silences se glissaient, où il ne savait
plus que dire, même en parlant de lui. « Ce serait
le moment! » (sous-entendu « de le mettre à la

porte ») se disait M. Octave; mais il n'osait pas.
Et, par fierté, il se refusait à aller dire au Papon
d'annoncer une visite : faire copain avec les domestiques contre un Coëtquidan, ça, non! Sous le coup
de tout ce qui lui arrivait, une torpeur envahissait
M. Octave, une somnolence atroce, comme lorsqu'on
dort à l'aube sur son cheval. Au fond de sa somnolence, un seul sentiment vivait en lui avec force :
l'envie de manger de très beau raisin muscat qu'on
lui avait envoyé, qui était dans l'armoire. Mais
il pensait que son frère retomberait dans l'aigre :
« Tu en as de la veine, toi! On te choie! », et
préférait faire son deuil du raisin. Sa torpeur était
si impérieuse qu'il en arriva au point de ne dissi-
muler même plus. Il bâilla. M. Elie se mit à bâiller
lui aussi, mais il ne s'en allait pas. Cela dura une
heure et demie. Ces deux hommes, l'un qui ne
savait pas partir, et l'autre qui ne savait pas ren-
voyer; entre eux, le silence qui gagnait, gagnait
toujours; et derrière eux leur marché sordide.

M. Elie partit enfin. Longtemps, dans son fauteuil, le baron garda ce beau visage grave qu'ont
les hommes — et qui donne presque l'illusion de
la pensée, — quand ils viennent de perdre de l'argent. Puis il soupira. Les chiens de Terre-Neuve
ont souvent, à la commissure des yeux, un peu
d'humidité qui coule, comme s'ils pleuraient.
De quoi pleurent les Terre-Neuve? De se savoir
dupes.

Retour de son équipée nocturne, M. de Coantré
avait dit à Arago que, la veille, à minuit, au moment de rentrer, il s'était aperçu qu'il n'avait pas
sa clef. Il n'avait pas voulu réveiller M. Elie en
carillonnant, et s'en était allé coucher à l'hôtel.
Cela passa à merveille. Les ingénus mentent bien.

L'équipée resta dans son souvenir comme quelque chose qu'il était heureux d'avoir connu, à condition que c'en fût fini à jamais; une de ces épreuves qui deviennent des biens si l'on peut parler d'elles au passé. Il n'avait rien eu, et sa satisfaction était pareille à s'il avait eu. Il n'avait nul regret.

Ce mois d'août fut sans histoire. Léon empaquetait, jardinait, dormait. Il voyait l'argent diminuer dans son tiroir, comme un homme qui voit baisser sur le manomètre la quantité d'oxygène que contient la pièce où il est, mais il le voyait dans des sentiments assez calmes. En effet, la perspective que bientôt il n'aurait plus *rien* n'allait pas sans cette secrète euphorie que provoque chez certains une situation excessive, pourvu toutefois que la carcasse ne s'y sente pas menacée. Quand il n'aurait plus *rien*, on serait bien forcé de lui porter secours, on ne laisserait pas un Coantré dans le ruisseau. Il comptait, il misait sur la pitié, sans vergogne. Il se voyait très bien suppliant des gens. Pendant dix ans, il avait entendu sa mère soupirer : « Ah! pouvoir vivre à l'hôtel! plus de domestiques! n'avoir plus de repas à commander! » Lui, le temps où il serait au bout de son dénuement lui apparaissait, comme apparaît au pauvre diable l'entrée à l'hôpital ou en prison : le temps où il n'aurait plus à vouloir, ni à être responsable.

Il ne recevait plus nul courrier. Même pas de réponses à des lettres qu'il avait écrites. Comme on voit devant soi un objet, il voyait devant lui ce fait : qu'il comptait pour rien. Et les gens qui le comptaient pour rien ne se connaissaient pas entre eux; ne s'étaient pas donné le mot; c'était vraiment *en lui* qu'il y avait quelque chose qui les poussait à être ainsi.

Le baron passa le mois d'août aux eaux. Il rentra

le 1ᵉʳ septembre, et Léon recommença de lui faire
une cour bien sentie. Il le tenait au courant de
tout, lui demandait conseil sur tout, s'ébrouant avec
une sorte de griserie lorsqu'il lui répétait que le
15 octobre il se trouverait nu comme un saint Jean.
M. Octave planait parmi les généralités optimistes :
c'est une politique *démentie par les faits*, que de
jouer sur le pire, etc. Léon en induisait que son
oncle avait, d'ores et déjà, pris la décision de lui
venir en aide.

La réalité était tout autre. Le baron avait bien
pris une décision, mais c'était celle de venir en aide
à son frère, et cela lui donnait l'impression que,
pour le moment, la famille était servie. Mais, dira-
t-on, à l'égard de son neveu, qu'attend-il? Eh bien,
il attend qu'il soit trop tard.

Il était buté. Souvent, il niait la situation de
Léon; il croyait se rappeler, par exemple, que
Léon lui avait dit : « Je peux aller comme ça jusqu'au 1ᵉʳ août », et il triomphait : « Eh bien, nous
sommes le 10 septembre, et petit bonhomme vit
encore! Avec les émotifs, c'est toujours comme ça.
Des mots! » A Vichy, il reçut de Léon une lettre
dont le papier portait, gravée, une couronne de
comte. A la teinte jaunie du papier, il était visible
que c'était une feuille que Léon avait retrouvée,
vieille de quinze ou vingt ans, et en user était assurément marque d'économie. Cette couronne fut, au
contraire, la molécule chimique qui eût suffi à
décomposer toutes les velléités qu'eût pu avoir
M. Octave de faire quelque chose pour son neveu.
Il disait à sa sœur :

— Ça n'a pas un rotin, et ça a du papier gravé!
Une couronne de comte! D'abord, le titre de comte
des Coantré, ça demanderait à être vu de près, mais
on aurait l'air d'attacher de l'importance à ces niai-

series. Moi, je n'ai même pas mon adresse imprimée sur mon papier à lettres, je l'écris à la main. Et il faudrait que je fasse une pension, ma vie durant... Léon de Coantré n'a rien à fiche, à penser à rien : il nous enterrera tous. Ah! s'il y a des gens qui n'ont pas d'argent, ils savent bien se rattraper : en embêtant ceux qui en ont. Alors, sous prétexte que mon frère et mon neveu ont gâché leur vie par leur paresse, leur excentricité et leur incapacité, moi, qui me suis donné un mal de chien, qui ai fait quelque chose de la mienne à la force du poignet, je devrais me dépouiller pour eux! Je devrais ne pas aller aux eaux! (Mme Émilie poussait un gémissement.) Si! si! Dès l'instant que je vais aux eaux, grâce à de l'argent que j'ai gagné honnêtement, tandis qu'eux ne peuvent pas y aller, je suis un coupable. La famille! Parlons-en! La famille, ça sert à vous demander de l'argent, rien de plus. « L'esprit de famille » : je n'ai jamais entendu employer cette expression que lorsqu'il s'agissait de me tirer de l'argent pour un individu indigne du moindre intérêt. Le grignotement des riches par les pauvres : voilà le type de ces maux dont on ne parle pas! Tout pour les pauvres, toujours! Quand les trois quarts des pauvres sont pauvres parce qu'ils le veulent bien!

Le sentiment des grandes injustices sociales donnait un accent presque pathétique au baron. De sa voix douce, Mme Émilie répondit :

— Oui, mais tu oublies que Léon n'est pas comme tout le monde.

M. Octave avait dit cent fois que Léon était un minus. Par rage de contredire sa sœur, il répliqua :

— Léon de Coantré n'est pas plus bête que les autres. Je ne sais pas pourquoi on lui a fait cette réputation. Il est comme tous les gens du monde.

Il y eut un silence, que rompit enfin Mme Emilie.

— Ah! mon pauvre Octave! conclut-elle, à croire que c'était M. Octave qui était bon pour l'asile de nuit.

Le 15 septembre, M. Elie reçut une lettre de son frère, datée de Fréville. Fréville était la maison de campagne — d'aucuns l'eussent appelée château — qu'avait achetée le baron, à quarante kilomètres du Havre, quand, au grand scandale de la famille, il avait vendu par modernisme le château de ses pères, à la mort de Coëtquidan l'ancien. Cette lettre avait un fort parfum de ridicule, étant écrite à la machine par le baron, qui faisait joujou à écrire sa correspondance avec une machine, qu'il emportait même à la campagne, tout comme son frère faisait joujou avec sa canne, avec les timbres, etc.; seule la formule finale, « ton vieux frère » et la signature étaient manuscrites : tout cela étroitement imité des Américains, c'est-à-dire très France d'aujourd'hui, puisque, depuis pas mal de temps déjà, une bonne part du génie de la France consiste à copier.

M. Octave annonçait à son frère qu'il était parti pour Fréville et serait rentré au début d'octobre. Les messieurs, sans en rien dire, trouvèrent le procédé désinvolte : ils auraient voulu qu'à l'approche de ce 15 octobre historique, qui allait changer leurs sorts, M. Octave ne bougeât pas d'une semelle, qu'ils l'eussent bien sous la main. Cependant, ils ne perdaient pas confiance. Un autre sujet d'inquiétude pour Léon, c'était que son oncle ne fît pas mine de préparer le déménagement de sa chambre. Plusieurs fois, il le tâta à ce propos. Le vieux répondait : « J'ai bien le temps » ou : « J'ai commencé. » Il n'avait pas du tout commencé. Léon s'en assurait au cours des perquisitions minutieuses qu'il faisait dans sa chambre, durant ses sorties, perquisitions qui ne se terminaient jamais, depuis qu'il avait cessé d'acheter des cigarettes, sans qu'il lui volât quelques bonnes pincées de tabac dans sa gibecière.

Le 2 octobre, nouvelle dactylographie du baron à M. Elie. Il annonçait, purement et simplement, qu'il se sentait « un peu fatigué », et ne rentrerait que le 1er novembre : il leur donnait rendez-vous, le 2, sur la tombe de sa sœur. « T'es-tu trouvé une pension de famille? J'espère, à mon retour, te trouver bien installé. »

M. Elie envoya son frère au diable. Mais il jouait sur du velours. Le 15, il irait à l'hôtel, et présenterait la note à Octave à son arrivée. A la moindre difficulté, il brandirait l'épouvantail de Léa Mayer. Léon, lui, fut atterré. Où aller entre le 15 octobre et le 2 novembre? Comment M. Octave n'avait-il prévenu que son frère, et non lui? Quel égoïsme dans cette façon de filer à l'anglaise, en les laissant se débrouiller! Quelle lumière jetée sur un être! Devait-il cesser de se fier à l'oncle Octave? Son cœur battait, il aspirait l'air, il percevait tout son désordre intérieur, il imaginait très bien comment cela se passe quand on tombe malade de ces sortes de coups-là, comment cela se passe quand on en meurt.

Le lendemain, — M. Octave, toujours nuancé, avait voulu marquer très nettement les préséances — Léon reçut la même lettre, avec de légères variantes. « T'es-tu trouvé enfin une situation? Que vas-tu devenir le 15? Tiens-moi au courant. »

Ce matin-là, une douleur minuscule, quelque chose comme le mordillement d'un insecte imperceptible, s'était installée sur ses paupières et à l'entour de ses yeux, cette sorte de douleur qui, aux plus mauvais moments des affaires Lebeau, durant des jours ne le quittait plus. Autre chose le tourmentait. Dix jours avant la date du départ, M. Elie n'avait pas ébauché le moindre rangement dans sa chambre. La peur lui revint, qu'il avait eue quand il lui avait annoncé qu'on devrait quitter Arago : la peur qu'il ne s'y refusât, purement et simplement. « J'pars pas. Ça! » D'autant plus que, lorsqu'il l'interrogeait sur ses projets, avec la discrétion et le respect dont il était coutumier, M. Elie restait dans le vague. Léon hésita longtemps à parler à son oncle avec énergie. Il n'avait pas cette décision dont parfois sa mère faisait preuve, quand, par exemple, poussée à bout malgré sa douceur, elle jetait à terre le vieux chapeau de paille sordide d'Elie, que depuis des années il se refusait à remplacer, et qu'elle en crevait la coiffe d'un coup de talon : « Comme ça, tu seras bien forcé d'en acheter un neuf! » Enfin, prenant sur lui, il offrit à M. Elie de l'aider à emballer, lui ouvrant en même temps les yeux sur une vision horrifique : le gérant faisant jeter par la fenêtre, le matin du 16, les affaires de M. de Coëtquidan! Il s'attendait à un refus, et eût sauté au cou de M. de Coëtquidan quand celui-ci accepta. Il faut dire que le vieillard n'attendait que cela, à la fois par paresse, parce que personne n'était comme lui empoté de ses mains, et parce qu'il était content de voir son neveu faire à son profit une besogne d'inférieur.

Léon put bien relever ses manches! Toute la chambre était dans un état infernal. La femme de ménage avait ordre de n'y toucher à rien, parce que, au moindre objet déplacé, et qu'il ne retrouvait pas tout de suite, M. de Coëtquidan faisait une colère. De sorte qu'il y avait tellement de poussière que le vieillard mouchait toujours du noir, que ses doigts gluants étaient toujours noirs, et laissaient des marques sur tout ce qu'il touchait. A certains endroits du plancher, la poussière avait formé des mouflons, qui entraient en danse chaque fois que la porte était ouverte, au grand amusement de M. Elie. Ici et là traînaient des cigarettes à demi consumées, des bouts de mégots à cinq sous, de la cendre de cigarette, — la trace dégoûtante que le mâle laisse derrière lui. Les draps eux aussi étaient troués par de la braise de cigarette. M. de Coëtquidan, partout ailleurs qu'à la maison, eût préféré dormir sur la dalle nue, à poser le visage sur une taie d'oreiller aussi graisseuse — jusqu'à en paraître diaphane — que la sienne; mais, s'il lui arrivait d'être frappé par l'odeur de sa propre crasse, il l'adorait, parce qu'elle était quelque chose à lui. Même au fort de l'été, la fenêtre n'était jamais ouverte plus de quelques heures par jour, parce que, « les fenêtres ouvertes, c'est le genre américain » (allusion à M. Octave, qui vivait par principe dans un courant d'air perpétuel), de sorte que l'odeur douceâtre d'eau de Cologne et de glycérine se répandait par tout l'étage.

M. Elie s'excusa sur ses rhumatismes pour n'aider pas Léon. Durant trois jours, Léon rangea puis emballa, dans quatre malles, les affaires de son bon oncle.

M. Elie, assis dans son fauteuil, lui donnait des indications. « Tiens, si tu n'as rien à faire, tu pourrais t'amuser à passer les nippes au... » *S'amuser* était une trouvaille : il s'agissait d'arroser les nippes avec un produit contre les mites : un travail d'une heure et demie. Comptez une heure de plus pour les dépoussiérer. C'était des vêtements que le vieillard ne pouvait plus mettre, non qu'il les trouvât trop défraîchis, mais parce qu'il avait pris du ventre depuis l'armistice (plus de restrictions!),

— auxquels deux ou trois tailleurs s'étaient refusés
à faire les raccommodages ahurissants que M. Elie
leur demandait, — qu'il ne pouvait se résoudre ni
à vendre pour le prix dérisoire qu'on lui en eût
offert ni à donner, parce que donner lui fendait le
cœur, — et qui, ayant débordé de l'armoire pleine,
attendaient l'heure du Jugement, entassés sur un
mètre de haut dans les fauteuils, couverts d'une
couche blanche de poussière, où les taches des mites
mettaient leur blancheur plus aiguë. Tandis que
Léon voustait, M. Elie, de temps à autre, feignait
de vouloir mettre la main à la pâte, mais tout de
suite se prenait les reins avec des « aïe!... aïe!... »
Quand la chambre du vieillard ne fut plus qu'un
vide merveilleux, occupé seulement par les malles
et les meubles, Léon, rayonnant, lui dit : « L'oncle,
je vous remercie de vous être prêté de si bonne
grâce à cette corvée. Mais surtout je vous remercie
de m'avoir permis de farfouiller ainsi dans vos
affaires. Vous m'avez donné là une preuve de
confiance que je ressens vivement. Vous savez, je
n'ai l'air de rien, comme ça, mais je *sens les
choses*... » M. de Coantré était sincère en disant cela.

Il s'offrit aussi à chercher une pension pour son
oncle, et alla même demander les prix dans des
pensions du quartier. M. Elie jeta au panier les
cartes des pensions qu'il lui rapportait, et dit enfin
que son frère et sa sœur lui avaient promis de s'occuper de cela. Il comptait aller à l'hôtel jusqu'à
leur retour. C'était aussi le projet de Léon. Mais
Léon, ayant vu par hasard, à deux pas, rue de la
Glacière, l'écriteau d'une chambre meublée à deux
lits, avec une soupente, ils décidèrent, par économie, de la louer et d'y loger jusqu'à ce que le
baron eût décidé de leurs sorts.

L'avant-veille du déménagement, une scène se

passa, qui, pour n'être pas utile à ce récit, nous est agréable à raconter.

M. de Coantré avait ses points d'honneur, et l'un d'eux fut de rendre la maison Arago dans un état parfait de propreté. L'avant-veille du départ, il ratissait et sarclait encore. Il était à le faire, quand, par la porte du jardin donnant sur le boulevard, une vieille dame, de fort bonne figure, entra, s'énasa avec lui, et lui demanda :

— Le comte de Coantré est-il là?

— Non, Madame, il est absent de Paris en ce moment, dit Léon. Ce n'était pas la première fois qu'un visiteur le prenait pour le jardinier ou pour un homme de peine, accoutré comme il l'était, et cela l'amusait beaucoup.

— Oh! mais comme c'est ennuyeux! dit la vieille dame, d'une voix haute et flûtée, et avec l'accent d'une conviction plus belle que nature : voix et accent qui, à eux seuls, l'auraient trahie pour une personne du grand monde.

Elle demanda quand M. de Coantré serait de retour. Mais à présent, elle scrutait Léon avec un œil noir et aigu. Il se crut percé, et, facile comme il l'était, ne put s'empêcher de sourire. Alors, elle :

— Mais... mais... voyons... est-ce que...

— Eh oui, Madame, je suis Léon de Coantré. Mais vous voyez ce que je suis en train de faire, et les vêtements que j'ai mis pour le faire. Et c'est pourquoi mon premier mouvement...

— Je vous ai reconnu à vos yeux! Vous avez les yeux des Coantré! s'écria la vieille dame, avec une voix de buccin (car, les femmes du vrai grand monde, c'est tout l'un ou tout l'autre : ou elles exhalent des sons exténués, ou elles poussent des cris effrayants). Je suis la marquise de Vauthiers-Béthancourt, une vieille amie de votre chère

maman. Sans doute ne me connaissez-vous pas; c'est
que je vis presque toujours en Sologne, dans ma
petite masure (c'était un splendide château historique). Et pourtant, que de fois je suis venue voir
ici votre chère maman! (elle était venue une fois, il
y avait quinze ans). Et j'ai bien connu aussi votre
bon papa, un si charmant homme...

Léon, s'étant fait confirmer que c'était bien lui
que Mme de Vauthiers voulait voir, fit asseoir la
vieille dame sur une des chaises rouillées du jardin,
et s'assit auprès d'elle, son tablier bleu couvrant
mal son vieux costume de velours à côtes rapiécé;
et ses pieds touchaient à peine le sol, tant il était
pot à tabac.

— Oui, dit Mme de Vauthiers, c'est à vous que
j'*en voulais*. Je suis vice-présidente des Dames roya-
listes du Nᵉ arrondissement. Nous avons songé à
faire le ralliement des hommes, et j'ai pensé à vous,
en me rappelant que votre bon papa était un des
fidèles de l'Œillet blanc. Et comme, aujourd'hui,
j'avais à faire dans votre quartier... Mais à présent
je crains de m'être trompée : le monde doit vous
faire horreur!

Léon, avec la plus grande simplicité, lui fit une
esquisse de ses goûts, et de sa vie depuis vingt ans.
Il mettait toute son élégance à dire : « Maman,
depuis la guerre, n'avait plus un centime... », et à
y revenir sans cesse. L'esprit de Mme de Vauthiers
voguait à mille lieues de là, mais son visage respirait une attention et un intérêt passionnés, comme
si c'était son propre fils qui lui décrivait ce qu'avait
été sa vie durant une longue absence; ses yeux noirs
jetaient du feu. Quand Léon eut fini, elle s'écria,
d'une voix si aiguë et si forte que les gens qui passaient en voiture dans le boulevard durent tout
entendre :

— Ah! cher Monsieur, vous avez choisi la meilleure part! La vie simple, saine, loin des soucis de notre maudite civilisation, au milieu de la nature et des affections de famille. Comme on serait bien ici pour faire une cure de repos! Quelle charmante maison! Et ornée avec tant de goût (elle caressait de l'œil trois plants de lierre patibulaires). On se croirait à cent lieues de Paris. Ç'a toujours été mon rêve d'avoir ainsi une véritable maison de campagne en plein Paris, mais cette chienne de vie en a décidé autrement! Il faut vivre dans cet abominable boulevard Latour-Maubourg. (*Chienne de vie* n'était pas mal pour une personne qui avait huit cent mille livres de rentes, et oncques ne connut un ennui. Mais Mme de Vauthiers disait, exactement et exclusivement, ce qu'*il faut* dire, et il est de bon ton — dans tous les milieux — de dire que notre monde est une vallée de larmes, ce qu'il est bien loin d'être, Dieu sait! De plus, Mme de Vauthiers, pensant que Léon était malheureux, voulait lui faire croire qu'elle était malheureuse, par courtoisie.) Votre chère maman a été bien gâtée, d'avoir à la fois cette ravissante retraite (Mme de Vauthiers eût donné du « ravissant » à *la Critique de la Raison pure*) et votre tendresse pour abriter ses vieux jours. La dernière fois que je l'ai vue, elle me disait encore que vous étiez la consolation de sa vie...

M. de Coantré était comme dans un hamac qu'eût balancé cette vieille main bleue de veines, — main charmante! Vêtu en clochard, et avec sa phobie des visites, il n'éprouvait aucun désir que Mme de Vauthiers s'en fût, et eut une pointe de regret quand elle se leva. D'ailleurs, il était toujours un peu chagrin quand quelqu'un — fût-ce un raseur — lui disait au revoir le premier, étonné que l'homme ne prît pas plus de plaisir à son contact.

— Comme j'ai été heureuse, cher Monsieur, de
pouvoir faire un peu connaissance avec vous! Et si
vous saviez quelle consolation c'est pour moi de
voir un homme de nos milieux avoir assez de caractère pour vivre à l'écart des grimaces des salons, et
de tous ces stupides gens du monde! (Nous avons
vu déjà M. Octave, Mme Emilie, Mme Angèle faire
marcher le disque : *Stupidité des gens du monde.*
C'est une sorte de signe de ralliement, entre gens
du monde, de dire que les gens du monde sont
stupides; en fait, les gens du monde sont comme
les autres.) Je ne vous parlerai plus de mon projet
pour le comité royaliste. Ce serait *un crime,* que
vous détourner d'une vie qui est la vérité et qui
vous donne le bonheur. Je ne vous dis pas adieu
mais au revoir. Je pars maintenant pour la Sologne
(la marquise était sans cesse en train de partir pour
la Sologne, prétexte à s'esquiver de tout ce qui l'ennuyait), mais, à mon retour, ce serait si gentil si
vous vouliez venir un jour déjeuner à la maison!
Ma fille serait si heureuse de vous connaître!

Léon, faisant des ronds de jambe, et tout à fait
à son affaire, — « Mais oui, Maame... Certainement,
Maame... » — reconduisit Mme de Vauthiers à la
porte du jardin, lui baisa la main, et la vit disparaître dans une automobile non pas somptueuse
mais beaucoup mieux que somptueuse, c'est-à-dire
respirant le rang. Dans le même instant où Mme de
Vauthiers eut quitté Léon, l'expression réjouie et
presque extasiée qu'elle avait déclenchée sur sa
face cessa, avec la netteté d'une ampoule électrique
qui s'éteint; tous ses traits retombèrent, lui allon-
gèrent le visage, qui devint froid et sec. Mais, quelque temps après que la voiture fut en marche,
comme s'il lui avait fallu ce temps-là pour reprendre
ses esprits, elle éclata d'un rire strident et répéta à

voix haute : « Oh bien, celui-là!.. Oh bien, celui-là!... »

Cependant, M. de Coantré, dans le jardin, restait rêveur, et comme sous l'influence d'un enchantement tel qu'en laissent sur leur passage certains religieux : elle lui avait révélé, ou plutôt rappelé, qu'il existait un ordre plus haut. En outre, il était grisé de s'être élevé si aisément à cet ordre, d'avoir été si aisément homme du monde, et il se disait : « Tout de même, ce que c'est, que d'être de la même graine! » Il songeait qu'après tout il aurait pu faire sa vie autrement, garder des relations avec les gens de *nos familles*, dont il se faisait de loin un épouvantail, et dont plus d'un, sans doute, était aussi doucet de commerce que l'était Mme de Vauthiers. Et en voyant tout cela, il voyait juste; M. de Coantré aurait pu très bien avoir une vie normale, digne, et satisfaite; il eût suffi qu'il consentît au petit effort de tenir sa place; ce qu'il payait aujourd'hui, c'était peu de chose et c'était tout : c'était de s'être négligé, c'était ce que nous appellerons, en un français douteux mais qui se fait comprendre, la *boule de neige de la non-contrainte;* mères, prenez-en de la graine pour vos fils. Toutefois, dans ce moment-là, il ne regrettait rien, car la vieille Circé avait fait naître en lui une image heureuse de lui-même. Toute la soirée, il crut de bonne foi qu'il avait choisi la meilleure part, que la marquise de Vauthiers-Béthancourt l'enviait d'avoir vécu loin des gens du monde, etc. Songeant à la maison « ravissante », il en vint au point d'avoir ce mouvement incroyable : il eut une bouffée de regret en pensant qu'il allait quitter Arago. Le lendemain matin, l'action du philtre avait cessé. « Elle m'a bien eu, cette vieille seringue! Mais c'est égal, elle a la façon. »

Le 15, les déménageurs transportèrent le contenu d'Arago à la double remise louée par Mlle de Bauret. Ils transportèrent aussi à la rue de la Glacière les biens mobiliers de M. Elie de Coëtquidan, qui consistaient en quatre malles — trois petites et une grande — et les biens mobiliers de M. le comte de Coantré, qui consistaient en une petite malle et une grande valise; on mit cela dans la soupente. Les messieurs avaient vendu leur mobilier à un marchand d'occasions du quartier, au prix qu'il en offrait.

Il y avait eu une grande scène avec la Mélanie, qui définitivement quittait le service; M. de Coantré l'avait embrassée. Nous ne nous sommes pas beaucoup étendus, au cours de ce récit, sur les relations entre M. de Coantré et la Mélanie, parce qu'elles étaient les relations classiques entre maître et serviteur dans une société sans autorité et sans ordre, et où le premier mouvement d'un chacun, au premier événement, est de ne tenir pas sa place. M. de Coantré tremblait devant cette pouffiasse à l'œil de poule, n'osait lui faire une observation, l'enveloppait du même luxe de prévenances dont il enveloppait ses oncles, — et, quand on songe à la dureté avec laquelle il avait traité sa mère, on juge que cette différence est une honte. A la moindre contrariété, Mélanie menaçait de partir : M. de Coantré s'affolait et lâchait tout. Encore une fois, ce sordide-là est classique, et a été décrit mille fois. Cependant M. de Coantré tenait la Mélanie pour une personne parfaite. En vain, depuis treize ans, la Mélanie abusait-elle ouvertement de sa situation (mais non pas sur le chapitre de l'honnêteté, car elle était *vraiment* honnête). En vain, depuis tous temps, M. de Coantré avait-il vu les domestiques répondre par le départ précipité, l'injure, le vol, la calomnie et le chantage à la gentillesse sans nom de la famille à leur égard, M. de Coantré continuait de proclamer et même de penser qu'on ne trouve de cœur que chez les gens du peuple, et que les bourgeois, en regard d'eux, sont de véritables orangs de méchanceté. De même, c'était bien en vain que la Mélanie se croyait morte pour un rot en travers, restait chez elle trois jours durant pour une migraine, poussait des hurlements de bête si elle avait un furoncle; c'était bien en vain que la plupart des valets de chambre qu'on avait eus, qu'ils fussent du Midi ou du Nord, avaient montré la plus incroyable douilletterie, toujours au bord de s'abandonner, prostrés pour un rien, invoquant la destinée à tout coup que leur volonté seule, ou leur ressort moral, était en défaut (« la destinée est la destinée!... ») : il demeurait évident pour M. de Coantré — comme il l'avait entendu dire et redire par *nos familles* — qu'on ne trouve de caractère que dans le peuple. Le masochisme de classe est une belle chose! Cher peuple, tu serais bien sot de n'en pas profiter! Et c'est pain bénit avec une classe dans laquelle, depuis un siècle et demi, c'est le 4 août à perpétuité.

M. de Coëtquidan décida de prendre ses repas en ville, dans un restaurant où il y avait un chat adorable, auquel il voulait du bien. C'était un chat qui lui coûtait cher, parce que le restaurant était loin, et qu'il fallait changer d'autobus pour y aller. Léon dénicha une gargote à six francs. S'y étant présenté à midi et demi, il la trouva si pleine, et de telles gens, qu'il décida de revenir dans une heure, quand les gens seraient partis. Durant cette heure, il marcha comme un dératé. Dans tout autre quartier, il se fût assis sur un banc, mais dans celui-ci, où il était connu, il n'osa pas; car il est entendu

chez les personnes d'une certaine classe qu'un
homme qui s'assoit sur les bancs est un malheureux : de là à boire aux fontaines Wallace, il n'y
a qu'un pas. Au restaurant, on lui demanda s'il
voulait une serviette, et il n'osa dire non; mais,
pesant le peu de plaisir que cette serviette lui
procurait, et les vingt sous par jour qu'elle lui coû-
terait, il en fut assombri. Il mangea avec hâte, afin
de risquer moins longtemps d'être vu dans cet
endroit, et n'osant lever les yeux, comme si le fait
de ne voir pas les autres entraînait que les autres
ne le vissent pas. Il mangea les têtes des éperlans
frits, pour ne rien laisser perdre, se bourra de pain,
prit du fromage, au lieu d'une orange dont il avait
envie, parce que le fromage est plus nourrissant.
Avant de partir, il glissa dans sa poche ce qui lui
restait de pain.

Le 1er novembre, dans leur voiture, qui les ramenait de Fréville à Paris, Mme Emilie dit à son
frère (vêtu d'un costume de golf, à soixante-dix ans
passés, tant il était brave dans son vêtement) :
— J'ai une idée pour le pauvre Léon. Tu devrais
l'envoyer à Fréville.
— A Fréville! Pour qu'il salisse tout! Tu es
folle!
— Pas dans la maison. Dans la maison de Picot
(c'était le garde). Il mangerait chez Finance. Tu
lui expliquerais que tu lui offres de préférence la
maison de Picot, parce que tu sais combien il aime
les choses simples et rustiques.
Le garde était mort voilà trois semaines; on
n'avait pas trouvé à le remplacer; son logis était
vide. M. Octave réfléchit, surpris par l'idée. Evidemment, cela ne pouvait être une solution défini-
tive. Mais c'était parer au plus pressé, et surtout,

pendant quelque temps, être débarrassé des visites de Léon. Ils en causèrent, y réfléchirent, et enfin s'y arrêtèrent.

M. Octave et sa sœur retrouvèrent les messieurs, le lendemain, au cimetière Montparnasse, sur la tombe de Mme de Coantré. En sortant, M. Octave prit Elie à l'écart, et lui dit de venir le voir dans l'après-midi. Puis il communiqua son projet à Léon.

Léon bondit au septième ciel. La campagne, la nature, et non pas en un lieu où il se sentirait perdu, mais à Fréville, dans l'ombre des Coëtqui- dan, dans un pays où il serait le neveu du marquis de Carabas! Et cela, immédiatement! Il pouvait partir demain s'il voulait! Ah! ce n'était pas en vain qu'il s'était reposé sur la famille. Sans hésiter, il dit à M. Octave que cette décision, dont il lui faisait part en ce jour des Morts, c'était l'âme de Mme de Coantré qui la lui avait inspirée, et M. Octave, bien qu'il n'aimât pas Dieu, eut la complaisance de lui laisser entendre que cela n'était pas impossible. M. Octave emmena Léon boulevard Haussmann, afin de lui donner la lettre qu'il remet- trait au cafetier Finance, lettre disant qui il était. Et, comme midi sonnait, il le retint à déjeuner, ce qu'il n'avait fait depuis quelque quinze ans; sachant que son neveu partait, il se sentit ce courage. Léon fit feu de toutes ses grâces, bien que vexé, de temps à autre, parce que M. Octave lui disait qu'il man- geait trop vite, et autres remarques de ce genre, comme s'il avait onze ans. M. Octave lui donna encore cinq cents francs, mais c'est quand il lui remit les clefs de la maison du garde, que Léon se sentit grandi de dix pieds : des clefs de Fréville! quelle confiance on avait en lui! il était l'enfant de la maison! Quand il fut parti, Mme Emilie dit qu'il se tenait très bien, et qu'on n'aurait pas cru du tout qu'il était idiot.

En sortant de chez son oncle, Léon était dans le même état qu'il y a quatre mois, quand, du boulevard Haussmann, il avait vogué vers les quartiers de perdition : joie et attendrissement. Il décida de partir le surlendemain. Boulevard Arago, il traîna un peu autour de son ancien logis. Des jardiniers faisaient tomber le lierre de la façade, des peintres repeignaient la grille. Dans une poussée d'indulgence, il donna l'absolution à cette maison.

M. Elie passa l'après-midi du lendemain, en compagnie de sa sœur, et dans l'auto de M. Octave, à visiter des pensions de famille. Comme il voulait revivre sa jeunesse, on chercha dans le quartier de la rue de Lisbonne. Pour bien marquer qu'il allait inaugurer une nouvelle vie, Léon alla chez le coiffeur, et, les cheveux coupés, se fit faire un shampooing. Il avait quitté l'un après l'autre tous les coiffeurs du quartier, parce que chaque fois il fallait lutter avec eux pour qu'ils ne lui fissent pas de shampooing, lutte dont il avait honte : il se doutait bien qu'on ne le croyait pas quand il proclamait : « J'ai horreur d'avoir les cheveux mouillés »; on devinait que c'était une question de dépense.

Le soir, Léon et son oncle veillèrent tard, dans leur pauvre chambre, avec ses deux lits côte à côte, comme les lits de deux grands enfants. Ils avaient vécu quarante ans sous le même toit, et c'était la dernière soirée de cette association. Tous deux en étaient touchés, Léon surtout. Ils avaient en commun beaucoup de souvenirs, beaucoup d'images, des manies, des scies, des façons de parler, jusqu'à des mots et des expressions inventés par la famille, et qui ne pouvaient être compris que d'eux et de leurs proches. Ce soir, ils sentaient vivement toute cette particularité, et il leur semblait qu'elle leur faisait un riche trésor. Léon oubliait ses mouvements d'humeur contre M. Elie. M. Elie oubliait qu'il avait écrit une lettre anonyme — oh! il y avait bien longtemps — à une des belles-familles possibles de Léon, pour lui révéler (pure calomnie) que Léon avait des enfants naturels. Ces deux « sauvages » regardaient l'avenir avec sécurité, parce qu'ils savaient qu'ils y restaient dans l'ordre de la famille, et comme dans son odeur. Et cependant chacun d'eux sentait que l'autre allait lui manquer.

Tout ce temps, M. Elie malaxait une boulette de mie de pain qu'il avait rapportée du restaurant, boulette que sa salive et la saleté de ses doigts avaient rendue si noire et si brillante qu'on l'eût prise pour une boulette de goudron. A certain moment, il s'arrêta net dans une évocation sentimentale qu'il était en train de faire, et se mit à fureter sous les meubles, avec des yeux hagards. « Qu'est-ce qu'il y a, l'oncle? » demanda Léon, inquiet. « J'ai perdu ma boulette », dit le vieux, le visage bouleversé. Léon, s'agenouillant, la chercha avec lui. Quand il l'eut aperçue, il eut une courte hésitation : puis il songea que c'était son dernier soir auprès de son oncle, et au nom du passé, au nom de la famille, au nom du souvenir de sa mère, il ramassa l'immonde petite chose et la lui tendit.

M. de Coantré partait à une heure. Le matin, l'impulsion lui vint d'entrer une dernière fois dans la maison Arago. Il prétexta qu'il avait dû oublier à l'entrée de la cave certain sécateur qu'il voulait recouvrer. Il poussa la grille, et fut saisi de trouver dans le jardin, en place des pelouses, les travaux en cours d'exécution d'un terrain de tennis : c'était bien la peine qu'il eût pris tant de soin de ces pelouses! Mais toutes les fenêtres étaient closes, et à la porte d'entrée, non plus qu'à la porte de la cuisine, on ne répondit à son coup de sonnette. A l'instant où il poussait la grille pour sortir, il dut avoir une vive émotion, car la tête lui tourna un peu, et c'est en se tenant à la grille qu'il tira son chapeau, pour s'aérer la tête, et défit le bouton de son col. Cela ne dura qu'un instant, et il était tout à fait remis quand il s'achemina vers la rue de la Glacière.

IX

Pour le train d'une heure, M. de Coantré arriva à la gare Saint-Lazare à midi et quart. Comme il y avait eu l'avant-veille grande scène d'adieux avec M. Octave, il se tenait pour assuré que celui-ci ne viendrait pas le mettre dans le train. Il en avait à la fois une filet d'amertume (la distance était si courte du boulevard Haussmann à la gare, qu'il y avait presque désobligeance à ne la franchir pas en cette occasion), et un immense soulagement : la plus grande preuve d'amitié que l'on puisse donner à un nerveux, c'est de ne l'accompagner pas à la gare, où on troublerait toute son affaire, et peut-être jusqu'à la catastrophe : bagages perdus, trains manqués, et pour le moins la plus mauvaise place dans le compartiment, voilà le bilan ordinaire d'une présence indiscrète.

Sa mallette enregistrée — une vieille mallette écornée, dont une serrure sur deux était cassée — et sa valise à la main, il prit un billet de troisième, content de voyager dans cette classe, non seulement pour l'économie, mais parce qu'il s'y trouverait avec des humbles. La sueur au front, d'émotion, il cherchait son train, quand il aperçut Georges, le chauffeur de son oncle, qui venait vers lui.

— Monsieur a déjà son billet ? M. le baron m'envoie pour m'occuper de Monsieur. Et d'abord, voilà le *Mail* que M. le baron envoie à Monsieur, pour lire dans le train.

Georges tendait à M. de Coantré le numéro du jour du *Daily Mail* (il prononçait *Mail* comme on le prononce, par exemple, dans *l'Orme du Mail*), et en même temps lui prenait de force sa valise. M. de Coantré vit s'envoler, comme ballon rouge, le billet de dix francs qu'il faudrait lui donner pour boire. « Oh! pour quelques pas, c'est tout à fait inutile. Nous voici au quai. » Et il désignait le portillon, où un contrôleur poinçonnait les billets. « Mais j'ai un billet de quai », dit Georges.

Donc, Georges allait savoir que M. de Coantré voyageait en troisième! Léon eût pu se faire installer en seconde, et puis, le chauffeur parti, passer en troisième. Mais cette opération lui parut un Himalaya, car il n'était pas une minute, depuis qu'il était là, où il n'eût cru que le train allait partir dans la minute suivante : il la jugea impossible, faute de temps. Alors il prit une décision héroïque. « J'ai perdu mon billet », dit-il, fouillant dans ses poches. Il faut que j'en reprenne un autre. » « Je vais y aller, que Monsieur m'attende là », dit Georges. « Mais non! Mais non! » cria le comte qui voulait changer son billet de troisième contre un billet de seconde, au lieu que Georges allait payer le prix entier d'une seconde. « Monsieur n'aura qu'un instant seulement à attendre. Une première? » — « Non, une seconde. Mais je vais y aller moi-même, j'aime mieux ça. Je vous en prie! » — « Alors, si Monsieur n'a pas confiance! » — « Mais si, j'ai confiance! », balbutia M. de Coantré, se troublant davantage, et n'osant plus rien dire, dès l'instant qu'on le prenait sur ce pied-là. « Eh bien, allez-y, mais pour l'amour de Dieu, faites vite! » Il lui donna cent francs.

Il resta devant le portillon, sa valise à ses pieds, dans le dernier état de la contrariété. Ainsi, par la faute de cet animal — et de son bon oncle — il devrait payer deux billets, de troisième et de seconde! Et cela fut bien pis quand il lui parut que Georges tardait : le train allait partir! Et il avait son billet en poche, et n'avait qu'à s'installer, mais Georges, de retour, sûrement le dépisterait! Tout cela est si affreux que nous n'avons pas le courage de le décrire. Enfin Georges revint. M. de Coantré, en proie à une nervosité qui touchait à la frénésie, crut ne pouvoir faire moins que lui donner vingt francs pour boire.

De tout le trajet, qui dura cinq heures, M. de Coantré ne parvint pas à *reprendre le dessus*. Le geste de M. Octave lui avait coûté soixante-six francs! (quarante-six francs de billet de seconde, et vingt francs à Georges). Il en aurait pleuré. Il avait décidé que, lorsque le train se mettrait en marche, il tirerait la première bouffée d'une pipe qu'il s'était achetée la veille : une pipe en terre « Jacob », dont il avait entouré de ficelle le tuyau, qu'il se proposait de culotter avec art, et qui devait être comme le symbole de sa nouvelle vie, — d'une nouvelle vie, et comme d'une nouvelle jeunesse, car il avait fumé des Jacob durant tout son séjour à Chatenay, mais non depuis. Et il était de si méchante humeur qu'il ne voulut pas étrenner cette pipe, et peut-être ne l'eût pu sans nausée. Il avait jeté sous la banquette, sans l'ouvrir, le numéro du *Daily Mail*. Un temps vint où il jugea que ce châtiment-là était trop doux. Il ramassa le numéro, et alla l'exposer, bien en vue, dans le w.-c., au-dessus de la boîte des « serviettes hygiéniques ».

Tout le voyage ne fut qu'un chapelet d'anxiétés. Anxiété dans le wagon, que le train n'eût du retard, ne manquât l'auto-car, ou que l'auto-car ne fût complet, ou qu'il ne chargeât pas les malles. Anxiété dans le car, que l'homme que Finance devait envoyer avec une brouette au lieu-dit où M. de Coantré allait descendre, ne fût pas là. Que deviendrait-il, alors, sur le bord de la route, dans la nuit tombée, seul, avec sa valise et sa mallette, à deux kilomètres du château? Quand il se représentait cela, il avalait sa salive. Et tout le temps il se répétait : « Comme si le père Octave n'aurait pas pu me prêter son auto! » Quand vous rendez service à quelqu'un, il ne faut pas faire 9 sur 10; il faut faire 10 ou ne pas vous en mêler; si vous faites 9, vous vous créez un ennemi.

Au lieu-dit, l'homme était sur la route. O homme de conscience, qui êtes au rendez-vous à l'heure fixée, noble spécimen d'une espèce disparue, je vous tire mon chapeau! L'homme prit sur sa brouette malle et valise, et ils pénétrèrent dans la forêt.

Soudaine métamorphose de M. de Coantré. Une forêt est un lieu qui guérit. On le vit bien. Léon entra dans l'odeur de la nature comme on entre dans l'odeur d'une église, tant, en cette journée d'été de la Saint-Martin l'odeur de la forêt — une odeur d'humidité sucrée — était puissante et compacte. L'odeur de la forêt! L'odeur de Chatenay retrouvée! Etait-il possible que cette chose si prodigieusement bonne, la nature, existât à l'état continu, tandis qu'on se croyait obligé de vivre loin d'elle, qu'on la tînt pour nulle, qu'on ne se gorgeât pas d'elle en sacrifiant à cela tout le reste! Cette odeur l'imbibait comme l'eau gonfle une éponge. Il lui semblait que les feuillages lissaient les rides sur son front. Il aurait voulu prendre l'air dans ses paumes et l'appuyer sur son visage. Il redressait le buste, fier comme un monsieur qui étrenne un complet vert-pomme. Sa démarche était celle d'un joujou mécanique remonté, ou d'un homme saoul : une différence incroyable entre cette démarche et celle qu'il avait à Paris. O nouvelle jeunesse! O transfiguration en le meilleur de lui-même! La certitude qu'il pouvait encore être heureux s'irradiait dans ce vieil homme, et qu'il possédait enfin ce qu'il avait désiré toujours, et qui était fait pour lui de toute éternité.

Ils firent ainsi deux kilomètres. L'homme était un ouvrier agricole. M. de Coantré voulait l'éblouir de sa science sylvestre; avec une fierté d'enfant il nommait les espèces d'arbres, il parlait des arbres *roulés* par le vent, dont on peut extraire le cœur comme un crayon; il critiquait l'administration de la forêt : les lignes de coupe mal entretenues, des *prématurés* qui mangeaient leurs voisins, et auraient dû être abattus... Et il trottait ferme sur ses petites jambes, ayant peine à suivre le travailleur, qui pourtant poussait les bagages, mais enragé de lui montrer qu'il n'était pas un Parigot, qu'il était un rustique, un vieux dur-à-cuire...

Enfin ils arrivèrent au château, bâtisse quelconque, et que M. de Coantré haït sur-le-champ, parce qu'elle lui rappelait la richesse. On déposa ses affaires dans la maisonnette du garde, non sans qu'il fît à l'homme tout un galimatias, pour lui expliquer que c'était lui-même qui avait voulu habiter non au château mais chez le garde, par amour des choses simples et naturelles : c'est tout juste s'il ne lui cita pas Jean-Jacques Rousseau. Ne voulant pas (sa courtoisie!) faire attendre l'homme, qui devait le conduire à Fréville, il ne jeta qu'un coup d'œil dans la maison, composée d'une grande pièce, d'une cuisine et d'un débarras. Elle avait été construite sur les plans de M. Octave, qui même

avait voulu, pour montrer à quel point il honorait
le travail manuel, mettre la main à la pâte. Dé-
guisé en maçon, et mêlé aux travailleurs, qu'il dé-
rangeait fort, il avait joué au manœuvre durant
quelques heures, à deux ou trois reprises, non sans
se faire photographier en cet acabit : montrant sur
la photo le masque, vieilli de quinze ans, d'un
homme d'un certain âge, épuisé par un effort physique intempestif et au-dessus de ses forces.
M. Octave adorait, dans un dîner en tra la la,
glisser à sa belle voisine : « Du temps où j'étais
gâcheur de plâtre... » — « ? ?... » — « Mais oui,
Madame, c'est moi-même qui ai construit la maison
de mon garde. » Et de lui en pousser une (une
théorie), de faire marcher le disque : *Honneur du
travail manuel.*

Ensuite M. de Coantré et son guide se rendirent
à Fréville, qui était à quelque six cents mètres du
château.

Il y a quelque chose de si beau à ce que Finance,
gargotier crochu, ait porté ce nom, que cela en
serait ridicule si cela passait dans un roman; cela
rappellerait ces romanciers naïfs, qui croient rendre
vivant leur huissier en l'appelant Griffatou, ou leur
paysan avide en l'appelant Crochengrain : puérils
poncifs, dont maintenant toutefois le pli est pris,
et qui dureront autant que le roman français. Aussi
appellerons-nous Finance, au cours de ces pages,
du nom de sa femme, qui était une fille Chandelier.

Chandelier accueillit très bien M. de Coantré.
C'était « M. le Comte » par-ci, « M. le Comte »
par-là. Les hommes attablés avaient cessé leur par-
lote, et contemplaient en silence ce comte infiniment saugrenu. Chandelier était un homme de
quarante-cinq ans environ, grosset, blond, le visage
plein et rose, avec une cordialité de commande lors-

qu'il parlait à M. de Coantré, et brusquement une
expression dure quand il s'adressait à sa femme
ou à la fille de salle. En gros, il avait l'air d'un
sanglier, mais qui serait surtout porc. Il fut décidé
que, tant qu'il ferait beau, M. de Coantré prendrait ses repas à l'auberge. Plus tard, on enverrait
le petit de la fille de salle, s'il le fallait, porter le
manger au château. « On s'arrangera toujours. »

Léon dîna. Chandelier vint faire la causette,
parla de sa famille, de ses « soucis » (car un homme
qui se respecte *doit* avoir des « soucis »). Léon parla
de nouveau des arbres *roulés* et des *prématurés*, sans
oublier les *lignes de coupe;* il nageait dans la joie;
le fort repas avait encore haussé l'idée qu'il se
faisait de soi-même. Chandelier lui demanda la
permission de lui offrir en ami un verre de fine.

Le lendemain, Léon, affamé de la forêt, s'habilla
en chemineau, et passa la journée sous bois. Il avait
cherché puis s'était taillé une branche qui lui ser-
virait de bâton : ce bâton lui était indispensable,
et il eût souffert de ne l'avoir pas tout de suite;
le bâton, comme le Jacob, était un symbole de la
nouvelle vie.

Un peintre aurait pu représenter tout le paysage
avec deux couleurs seulement : le vert et le brun.
M. de Coantré marchait sur le profond tapis de
feuilles mortes, dont la teinte jaune-brun tournait
au loin presque au rose, et à travers la fougère des-
séchée. Les hauts fûts des pins sylvestres, tous pen-
chés dans le même sens par le vent de mer, se
balançaient avec une lenteur de plantes sous-ma-
rines. Parfois un tronc d'arbre était couché par
terre, ses branches érigées, comme un buffle mort
aux hautes cornes. On n'entendait d'autres bruits
que quelques croassements de corbeaux, ou le cri
d'un petit chercheur de chenilles qui grimpait.

Mais la sourde rumeur de la grand-route, au loin, rappelait les hommes dans cette solitude : la terre entrevue du large.

Le lendemain se passa de même : toute la journée en forêt, et dans un pareil bonheur. Léon écrivit sur le mode lyrique à ses deux oncles, à Pinpin et à Mélanie. Le surlendemain il pleuvait, et la nécessité de descendre au village pour déjeuner montra ses inconvénients. Le soir, le petit de la fille de salle monta le repas, qu'il fallut réchauffer. « Bien entendu, le père Octave n'a pas pensé à cette question des repas. C'est toujours la même chose : il n'est pas pratique! » Et vous, cher comte, seriez-vous *pratique*, par hasard?

Le jour suivant, pluie encore, et déjeuner apporté, mais sensiblement plus mal servi qu'il ne l'était à l'auberge. Il avait été décidé que l'enfant ferait le ménage un jour sur deux. C'était un enfant jaune et gris, la crasse aux mains et aux genoux, les dents pourries par le cidre. Comme il ne savait rien, et ne comprenait rien, Léon pressentit qu'il ne recueillerait de cette *aide* que la fatigue ruineuse que vous cause un domestique qui n'est pas stylé.

L'après-midi, il ne sut que faire. Un solide point d'appui lui manquait, avec ses ennuis qui s'étaient dissipés : c'était le silence, assez sinistre, du canot à pétrole, en mer, quand le moteur a une panne. Et puis, dans une vieille turne comme Arago, où rien n'était jeté, par prévoyance, il y avait toujours à faire. La maisonnette du garde n'ayant pas de fauteuil (« C'est très joli, la rusticité, mais enfin elle a des limites.. »), il resta tout le jour étendu sur le lit, attendant l'heure du dîner, avec dans la tête un vide incroyable, et pestant contre le feu de bois, qui le premier jour l'avait tant charmé (disque *Poésie du feu de bois* : « Une présence vivante!

Un compagnon! Autre chose que ces saloperies d'inventions modernes!... »), mais qui à présent le forçait à se lever toutes les cinq minutes pour arranger quelque chose dans l'âtre.

A sept heures et demie, le petit, qui devait apporter le dîner à sept heures, n'était pas venu. A huit heures, personne. Sans doute ne l'avait-on pas envoyé parce qu'il pleuvait. Le procédé désinvolte glaça Léon. Il balança s'il sortirait sous la pluie, ou se coucherait sans dîner, et enfin se coucha, le cœur amer. Chandelier! Encore un ange gardien de qui les plumes tombaient.

Le lendemain, Chandelier s'excusa. Le petit ne pourrait plus « monter » : sa mère avait besoin de lui aux heures des repas. Pour le ménage, M. de Coantré s'entendrait peut-être avec la fille de la mère Poublanc...

— Mais, si je me permets de le dire à Monsieur, ce n'est pas une vie, de vivre là-haut l'hiver, dans les conditions où est Monsieur. Monsieur est libre, bien sûr; mais, si Monsieur veut vivre à la bonne air, et en même temps qu'on le soigne un peu, pourquoi il ne prendrait pas une chambre au village? Même nous, si Monsieur voulait, on débarrasserait la chambre de la petite, dont on a fait une resserre depuis qu'elle s'est mariée, on lui ferait une belle chambre.

— Je ne demanderais pas mieux, dit M. de Coantré, sans détour, mais c'est que — je ne sais pas si M. de Coëtquidan vous l'a écrit — c'est que je suis totalement ruiné. Je n'ai pas de quoi faire la dépense là où je peux l'éviter.

Les rustres ne prennent pas la peine de se composer une physionomie. Cela se fit comme au théâtre : en une seconde, une sorte de masque apparut sur le visage des deux Chandelier; leurs traits tom-

bèrent, leurs regards s'éteignirent. Comme suffo-
qués, ils ne disaient rien. On n'entendit plus que
le tic-tac puissant, majestueux, indiscret de puissance, du cartel. Une atmosphère de malheur
envahit la salle, aussi nette, et aussi froide, que si
on avait soudainement ouvert grand les fenêtres.

Ce jour-là, il faisait sec et froid. Léon, dans la
forêt, littéralement ne *voyait* plus la nature : il
était trop occupé de ses affaires. Il « tirait des
plans ». Il achèterait des conserves, et mangerait à
la maison. Il ferait son ménage lui-même.

Le soir, à la fin du dîner, Chandelier lui présenta
la note. Il n'y avait pas une semaine que Léon était
là, mais l'homme, alerté par son aveu du matin,
avait voulu savoir. Léon paya sans vérifier. Lorsque,
ensuite, il regarda la note, il vit que Chandelier
avait compté la fine qu'il lui avait « offerte » le
premier jour.

Il dit qu'il ferait son ménage lui-même, que
l'exercice lui était recommandé. Il remarqua que
Chandelier ne lui parlait plus à la troisième personne. Le premier jour, ç'avait été des « M. le
Comte » à tous les mots, si bien que Léon, conscient
de ce qu'il y avait de dérisoire à ce que ce titre
désignât un pauvre hère dans son état, avait prié
l'aubergiste de s'abstenir de le lui donner. Puis,
ç'avait été une « troisième personne », sans titre,
que Léon, tout humble qu'il fût, trouvait *convenable*. A présent, c'était « vous ».

M. Octave, quand il avait écrit à Chandelier,
lui avait dit que Léon voulait faire une « cure de
repos », qu'il était d'ailleurs « un peu original »
de caractère. De sa pénurie il n'avait soufflé mot,
pensant que le gargotier la verrait toujours assez
tôt. De son côté, Chandelier s'était habitué à croire
que tous les nobles étaient des demi-fous. Il voyait

M. Octave alterner la grigouterie et la magnificence;
il avait entendu parler des excentricités de Coëtquidan l'ancien; il avait aperçu une ou deux fois le
véritable épouvantail à moineaux qu'était Elie.
Que les nobles fussent des demi-fous, il ne le
croyait pas seulement de bonne foi, c'était une
idée qu'il caressait. Il avait pour eux, en effet, une
haine qui venait de loin : il trouvait qu'ils n'avaient
pas assez expié. Bien que, en France, le disque sur
ce sujet profère que, l'aristocratie n'existant plus
en tant que classe, étant proprement nulle dans
ce qu'elle est et dans ce qu'elle a, personne ne peut
la haïr, puisqu'on ne peut haïr ce qui n'existe pas,
cette haine demeure. Jadis, une petite amie de
Léon, qui avait été longue à devenir avec lui
confiante et bonne fille, lui avait avoué enfin :
« Qu'est-ce que tu veux, ça m'empêchait, que tu
sois vicomte. » Chandelier allait jusqu'à envier et
haïr des particules qu'il savait postiches, comme
celle de châtelains voisins, dont il était de noto-
riété publique que le grand-père était bonnetier.
Car, ce qu'il visait toujours, c'était la particule,
selon l'usage du peuple, qui ignore que, autant il
y a de gens à particule, et qui ne sont pas nobles,
autant (ou presque) il y a de gens qui ne l'ont
pas, et qui le sont.

Le soir même, M. de Coantré acheta du lait
condensé, des conserves, un pot de confiture, qu'il
rapporta dans sa musette, et dîna chez lui. Il faisait
contre fortune bon cœur, se disant que c'était de
l'hygiène de ne prendre qu'un repas léger le soir.
Il avait cru qu'il lui serait pénible de faire ces
achats — source de potins — mais cela ne lui fut
pas pénible.

En revanche, deux faits nouveaux lui furent pé-
nibles. L'un fut de reconnaître que la campagne ne

l'intéressait plus. De même que, dans sa conversation, le premier jour, avec l'homme à la brouette
et avec l'aubergiste, il avait tiré un feu d'artifice
de toutes ses connaissances campagnardes, et maintenant n'avait plus rien à tirer, parce qu'il avait
dit tout ce qu'il savait, de même il avait épuisé
dans les deux premiers jours les disponibilités
d'émotion qu'il avait à l'égard de la nature. Bien
obligé de s'avouer qu'il n'était plus le même homme
qu'à Chatenay, il se regardait soi-même, avec cet
air qu'ont les vaches lorsqu'elles regardent passer
un train, et les hommes lorsqu'ils découvrent de
quoi est faite « l'unité de la personnalité ».

Ce qui le peinait encore, ce « sauvage », c'était
la sensation de l'abandon où il était, sensation plus
forte que jamais; il l'accueillait avec une surprise
comique; elle lui donnait les yeux d'une jeune fille
qu'au bal on n'a pas invitée beaucoup à danser;
elle lui était plus dure encore que le manque d'argent. A sa lettre lyrique, M. Octave répondit par
courrier, se félicitant qu'il fût heureux à Fréville :
ces félicitations lui parvinrent au moment qu'il
commençait d'y être malheureux. Mais ni Mlle de
Bauret, ni Elie, ni Mélanie ne lui répondirent.
Quand il arrivait chez Chandelier, où il se faisait
adresser son courrier, et qu'on lui disait une fois
de plus qu'il n'était rien venu pour lui, ses paupières battaient, sa gorge séchait. C'était surtout le
silence de Mélanie qui lui faisait de la peine.

La grossièreté des gens auprès de qui il devait
manger chez Chandelier, qui les premiers jours
l'avait enchanté (« Les simples! La bonne vie naturelle! »), maintenant lui était dure. « Tiens, si tu
me prouves Dieu, je te paye le coup. » — « Encore,
si j'avais bu quand j'étais jeune! Mais il n'y a que
dix-huit ans que je me soûle. Et toi, combien donc

que tu bois par jour? » — « Ben quoi, six litres, comme tout le monde. » Il était las des propos de ce genre. Il se sentait isolé comme dans une île. Son imagination maintenant retournait vers la maison Arago! Arago! Il y avait là l'oncle Elie. qui était malgré tout quelqu'un de la famille, le frère de sa mère, qui pouvait être serviable s'il voulait, qui était presque touchant quand il s'offrait à porter à domicile (afin d'en décoller le timbre) une lettre qu'on lui avait demandé de mettre à la poste; avec l'oncle Elie il allait bavarder quand il était trop ennuyé; il se souvenait du jour où il lui avait demandé de l'aider à faire une division, dont il ne pouvait venir à bout, à cause de la virgule (le vieux y avait échoué mêmement). A Arago il y avait l'oncle Octave, éternel secours. Il y avait Mélanie, oiselle fantasque, criarde, insupportable, mais sûre et dévouée. Tous gens qui avaient connu sa mère (comme ce fait prenait pour lui, soudain, de l'importance!). Tous gens d'une même cellule, la plupart d'entre eux coagulés ensemble, si on peut dire, par une longue vie en commun. Arago, c'était la sécurité (son esprit tournait toujours autour de ce mot). Arago, c'était le *foyer* : il découvrait cet autre mot. Et ce temps d'Arago était fini à jamais!

Enfin il reçut un billet de Mélanie, insignifiant et bref. Elle disait que M. Elie se plaisait beaucoup dans sa pension de famille. Elle le disait avec une pointe d'aigreur. Il comprit qu'elle était jalouse, et en fut content. L'idée le traversa, de persuader Mélanie de venir vivre à Fréville. Puis cette idée s'éteignit. Mais elle avait lui.

Après quelques jours, Chandelier prévint Léon que le petit pourrait de nouveau lui porter son manger. L'aubergiste l'avait prétendu indisponible pour dégoûter M. de Coantré de la maison du garde,

et le pousser à prendre pension chez lui. Sa machine
ayant échoué, il regrettait maintenant le manque
à gagner que lui causaient les repas pris par Léon
à domicile. Léon flaira bien la machine. Il eût
voulu refuser : à présent qu'il avait pris l'habitude
des conserves, il en appréciait la commodité et surtout l'économie. Mais il craignit la rancune de
Chandelier. Pour la première fois avec une telle
netteté, il sentit qu'il était entre les mains de ce
porc, et mesura l'inconvénient de la campagne, où
il n'y a pas d'êtres de rechange, comme à la ville,
où il faut donc composer avec tous. Il accepta que
le petit revînt, mais tint bon pour faire son ménage
lui-même.

Plusieurs fois, il lui arriva de tirer son portefeuille, pour voir combien il lui restait. Cependant,
l'ayant tiré, il n'osait pas étaler les billets, et le
laissait ouvert à côté de lui, puis le rempochait.
Enfin il se décida. Il croyait trouver trois cents
francs, il en trouva deux cent vingt. Que ferait-il
quand ils seraient partis? Encore une fois, se
tourner vers M. Octave? Celui-ci savait bien, que
diable! en lui donnant cinq cents francs, que cette
misère serait épuisée rapidement! Pourquoi ne
l'avait-il pas mis au large, ne fût-ce qu'afin d'être
débarrassé de lui pour un certain temps? (Léon
envisageait, sans réagir, les hypothèses les plus
humiliantes.) Il roulait tout cela, quand un malaise
se forma en lui, qui bientôt devint une angoisse.
Ses doigts étaient froids, et froide la face supérieure
de ses cuisses. Comme un noyé qui cherche à
s'agripper, il était anxieux de se retenir à quelque
acte que ce fût; c'est ainsi qu'il saisit à la hâte un
petit instrument qui lui servait à se couper les
ongles, et se coupa les ongles. L'angoisse augmentant, il alla aux cabinets, bien qu'il n'en sentît nul

besoin. Mais il lui semblait que n'importe quel changement qui surviendrait dans son corps le soulagerait peut-être...

L'étourdissement se dissipa; il lui en restait une sensation de faiblesse et de pesanteur combinées qu'il avait déjà ressentie plus d'une fois, dans sa nuit de Montmartre, par exemple; la faiblesse et la pesanteur combinées de tout ce qu'il y avait dans son corps de flasque et de retombant; cette succession de pleins et de déliés dans son corps : la grosse tête, puis la poitrine mince, puis le ventre ballonné, puis les jambes grêles. Il resta avachi et ratatiné sur la chaise. Il se souvenait des bruits familiers d'Arago : le piaulement des rats, le craquement d'un verre de lampe qui se fêlait, l'écroulement du charbon dans le poêle, la voix de M. Elie donnant des ordres aux chats. S'il avait été à Arago à présent, Mélanie lui eût appliqué des remèdes de son cru, M. Elie lui eût dit, avec un ton *avunculaire* : « Faut pas rester comme ça, mon garçon! Ah mais non, ça! » et eût été chercher le médecin, car il adorait aller chercher le médecin, parce que cela lui donnait à la fois de l'importance et un but de promenade. Soudain la pendule tinta. Il sursauta, avec un bond incroyable. La sonnerie de la pendule lui donna envie de pleurer.

Il pensa qu'il avait dû s'affaiblir en se relâchant sur la nourriture.

Il alla se regarder dans une glace, certain que cela devait se voir sur son visage, qu'il était un homme touché. Mais il ne vit rien d'anormal sur son visage. Il le trouva seulement ridicule.

Cependant, moins peut-être par souci de sa santé que par besoin d'un contact qui le nettoyât des gens de l'auberge, — par besoin de voir quelqu'un qui eût tête humaine, — il décida d'aller rendre visite

dans l'après-midi au docteur Gibout, médecin à
Saint-Pierre-du-Buquet; on atteignait ce gros bourg
avec deux kilomètres de marche, et vingt minutes
d'autocar. M. Octave lui avait dit : « Tu auras à
Fréville deux sécurités : Chandelier et Gibout. Tu
verras Gibout. C'est un rustique, un homme tout
rond, père de quatre enfants, et excellent médecin.
Il aurait pu dix fois être député, s'il avait voulu,
mais il a mieux aimé faire son métier, et *he makes
money* gros comme lui. »

Mme de Coantré avait eu la religion de la maladie. Un petit meuble secrétaire était consacré en
entier aux ordonnances, que l'on gardait toutes, et
vingt années durant, à ces merveilleuses notices de
« spécialités », qu'il suffit de lire pour se sentir
guéri, et aux fioles et bouteilles de médicaments,
lorsqu'il y restait quelque peu de mixture, que la
sainte économie interdisait de jeter : la mixture
s'était pourrie depuis longtemps, qu'on la conservait encore: c'était seulement le jour où l'on en
avait besoin, qu'on prenait peur devant ses teintes
sinistres, et se résolvait à la jeter. Les relations de
Léon avec les médecins avaient toujours été
étranges. Quelque médecin qui le soignât, Léon
alternait sur un rythme vif l'idée que ce médecin
le tuait, sciemment et volontairement, avec l'idée
que la seule présence de ce médecin, dans son quartier, suffisait à l'empêcher de mourir. Selon
l'humeur du moment, Léon, le médecin venant de
lui interdire de fumer, fumait beaucoup, exprès.
Ou bien, au contraire, c'était la pusillanimité, et
les passants pouvaient le voir, arrêté au milieu de
la foule sur le bord du trottoir, et absorbé dans
une occupation mystérieuse et qu'ils ne compre-
naient pas : il se tâtait le pouls. Parfois, toutes
affaires cessantes, il retournait voir le médecin, pour

quelque doute qui lui était venu, si un comprimé
devait être mâché ou avalé, et d'autres fois c'était
effrayant de le voir, une cuiller manquant, boire de
la potion au goulot. Tout cela était le comble de
l'incohérence, mais non pas si différent qu'on pourrait le penser de la conduite d'un homme normal à
l'égard de la médecine et des médecins.

Si M. Octave ne lui avait pas fait l'éloge de
Gibout, M. de Coantré, l'après-midi, ne se fût sans
doute pas résolu à passer le seuil du docteur. Ce
pauvre se fût refusé à mettre sa vie entre les mains
d'un homme qui donnait l'apparence d'être pauvre,
— et voilà qui justifie les traits tombés des Chandelier et l'atmosphère de malheur qui s'était faite
dans la salle de l'auberge, quand le comte avait
dit qu'il n'avait pas d'argent. Ce jardinet misérable, ce paillasson poussiéreux et râpé, ces cuivres
ternes et verdissants, cette sonnette cassée, cette
souillon qui vous ouvrait, cette petite antichambre
puante... Et cependant le docteur était bien, comme
l'avait dit M. Octave, un homme tout cuirassé d'or,
et qui traitait d'égal à égal avec tous les gros du
département. M. de Coantré écrivit : « Le comte
de Coantré, neveu du baron de Coëtquidan » sur
un papier qu'il fit passer au médecin, et entra
dans le salon d'attente, où attendait déjà une dame,
à qui ses habits de deuil conféraient une dignité
apparente.

Il venait de s'asseoir, et n'avait pas eu le temps
encore de se livrer à son inquiétude, touchant l'ac-
cueil que lui ferait le personnage, quand la porte
du cabinet s'ouvrit, Gibout entra, vint à lui, lui
demanda si cela ne l'ennuyait pas trop d'attendre
que cette dame fût passée; et ils se firent à la figure
quelques hennissements de politesse. Gibout, par
l'âge et la tournure, rappelait Chandelier : un « rus-

tique », en effet, qu'on se représentait vêtu de la
blouse bleue; mal rasé, fort en couleur, avec des
bouclettes drues et courtes comme les frisons sur
le frontal des bœufs. Son pantalon, trop descendu,
laissait voir plus bas que le gilet la ceinture de cuir
et même la chemise.

Après un quart d'heure, il reparut et entraîna
Léon dans son cabinet.

— Alors, vous êtes le neveu de M. de Coëtquidan! J'ai bien compris, Madame votre mère était
la sœur?... Parfaitement! Et vous êtes donc parent,
ainsi, des Champagny?

— J'appelle Mme de Champagny « ma cou-
sine », mais ne saurais vous dire comment elle l'est
au juste...

— Votre cousine! Ah, mais c'est très intéressant!
Et, dites-moi donc, est-ce vrai qu'elle est cousine
germaine des de la Nave?

— Ma foi, je n'en sais rien.

— C'est que, à mes moments perdus, je recueille
des documents sur les familles du pays. Je suppose
que vous n'êtes que de passage, mais si, un jour,
vous aviez un instant, je serais bien heureux de
vous montrer cela et de vous demander des conseils.

— Hélas, je n'y connais pas grand-chose. Vous
voyez, les Champagny sont mes cousins, et je ne
serais pas capable d'expliquer comment, dit M. de
Coantré, qui était venu pour être soigné.

— C'est bien ennuyeux. Déjà Monsieur votre
oncle m'a dit à peu près la même chose. Mais lui,
il y met une idée. Savez-vous ce qu'il m'a dit? Que
tous les nobles étaient des imbéciles, et qu'il n'y
avait de nobles intelligents que ceux qui avaient
épousé des Juives, parce que ces Juives déteignent
sur eux. Ah! c'est bien regrettable, que la noblesse
ne s'occupe pas davantage de mieux se connaître et

de faire front commun. C'est pourtant quelque chose, sapristi, d'avoir été pendant quatre cents ans du côté du manche! Les gens du monde, tenez, j'en ai retrouvé au Maroc, par exemple, des colons du bled, vêtus comme des bandits de grand chemin. Eh bien, du premier coup d'œil, j'ai deviné en eux ce je ne sais quoi qui, à de certaines heures, leur donnait le droit de ricaner des autres.

— J'avoue n'avoir jamais remarqué ce je ne sais quoi, dit M. de Coantré, faisant la grimace.

Il regardait cet homme sale, respirant une vulgarité puissante, ce bouvier débraillé, plein de sa fureur pour la condition. Il brûlait de lui parler de sa santé, mais il avait l'impression qu'il serait indiscret, qu'il deviendrait un gêneur. Ce fut Gibout qui le tira d'affaire.

« Mais nous bavardons! Et je ne vous ai pas encore demandé ce qui vous amène. Rien de grave, bien sûr? » dit-il avec un air jovial. Et en effet, ayant écarté ainsi cette hypothèse ennuyeuse, il bondit sur son dada, qui le remporta en pleines nuées. « Pourtant, j'aurais voulu vous montrer auparavant le château des Champagny. J'en ai là une photo qui m'a été donnée par le baron lui-même. Elle n'est pas dans le commerce, et c'est pourquoi j'y tiens beaucoup. »

— Je connais bien Champagny, dit Léon. J'y ai été en villégiature quand j'étais jeune homme.

Peine perdue. Gibout voulait montrer son château. Il chercha la photographie. M. de Coantré se demandait s'il y avait à côté des malades angoissés qui attendaient, le souffle court, qu'on leur fît savoir s'ils allaient mourir ou non. Il se demandait si Gibout pourrait reprendre jamais assez de liberté d'esprit pour être capable de l'examiner sérieusement. Enfin, d'un carton vert, le docteur sortit des

enveloppes. Elles contenaient autant de cartes postales. Les enveloppes étaient annotées, et, sur chacune d'elles, un blason dessiné à la plume.

— Tenez, voici Champagny, dit Gibout, comme
si Léon ne lui avait pas dit qu'il avait été l'hôte
du château. Et tenez, voici celui des Macé de Thianville. Vous devez les connaître, ce sont aussi vos
cousins.

— Je ne crois pas, dit Léon, avec l'accent de la
vérité.

— Mais si, ce sont vos cousins! Mme Macé de
Thianville est une demoiselle des Mureaux, pas les
des Mureaux de l'Aveyronnais, la branche qui...
(il débita une généalogie). Ah bien! c'est un peu
fort! Il faut que ce soit moi qui vous apprenne
vos parentés! Et tenez, la preuve...

Il ouvrit un dossier, regorgeant des chroniques
mondaines du *Figaro*, découpées et datées. « Oui,
dit-il, je me tiens au courant. Il faut bien! » Et
il lui montra, au mariage d'une Macé de Thianville, un des Mureaux dans le cortège. Ce qui
donna lieu à un long galimatias. Toutes ces personnes titrées de la chronique mondaine, qu'il
n'avait vues de sa vie, et qui, l'occasion s'en offrant,
lui eussent fait servir un verre de rouge à la cuisine, comme au plombier, ou peu s'en faut, étaient
pour lui des êtres infiniment vivants, et presque
des compagnons familiers. Enfin il sortit de ses
nuages. « Allons, laissons cela. Nous en reparlerons
une autre fois. Et voyons cette petite santé. »

Aussitôt qu'il ne s'agit plus de bagatelles, mais
de la raison sérieuse qui l'amenait ici, M. de
Coantré eut la sensation vive qu'il était idiot, ou
en avait l'air, et se mit à bafouiller. La sueur lui
mouilla le front. Un juge d'instruction qui l'eût
entendu l'eût tout de suite tenu pour coupable. Il

expliqua sa fatigue, son étourdissement, cet autre
étourdissement qu'il avait eu, lorsqu'il avait été
rendre une dernière visite à la maison Arago. Gibout, l'auscultant, lui fourra sous le nez sa tête
graisseuse, étoilée de pellicules; il sortait du médecin une violente odeur de mâle mal tenu. Ensuite
il fit respirer Léon, et prit sa tension.

— Tout cela est en parfait état, monsieur de
Coantré, dit-il enfin. Vous n'avez RIEN. Je n'ai qu'un
mot à vous dire : sé-cu-ri-té to-tale et ab-so-lue.

— Rien?

— Mettons un peu d'hyperesthésie nerveuse, pour
vous faire plaisir...

M. de Coantré fut, sinon tout à fait désappointé,
du moins décontenancé. Dans cet instant, et avec
une force saisissante, il fut convaincu que Gibout
se trompait : il la sentait bien, pourtant, cette présence étrangère qu'il y avait en lui, cette terrible
présence qu'est la maladie! Mais comme il lui semblait que sa bonne santé supposée lui donnait l'air
aux yeux de Gibout d'un naïf ou d'un timoré, il
commença de se plaindre de maux fictifs, afin de
justifier sa visite, de la même façon qu'au confes-
sionnal un jeune pénitent s'accuse de péchés ima-
ginaires, s'il trouve que ses péchés authentiques ne
sont pas assez intéressants pour le faire prendre
au sérieux. Mais à tout Gibout répondait : « Tout
à fait normal... Excellent!... » « Il a son siège fait,
se disait le comte, il s'est mis en tête de me contredire. Rien ne l'en fera démordre. Etre malade,
avec un médecin qui *ne veut pas* que vous soyez
malade, eh bien! je suis dans de beaux draps. Je
comprends encore qu'un médecin militaire trouve
d'office que vous n'avez rien, puisque vous ne le
payez pas. Mais un médecin qu'on paye, c'est un
peu raide! »

— Alors, vous ne me donnerez pas d'ordonnance? demanda-t-il tristement.

Il y a des médecins qui éblouissent leurs clients en leur ordonnant mille choses compliquées. Gibout les éblouissait en ne leur ordonnant rien. Et il est vrai que cela est plus fin.

— Pas de drogues, monsieur de Coantré! Pas de drogues! Mais, tous les deux jours, avant le dîner, un bain à température agréable. Rien de plus. Vous avez la chance que M. de Coëtquidan ait fait mettre une salle de bains à Fréville...

M. de Coantré comprit : Gibout croyait qu'il logeait au château même. Il eut honte de le détromper. Au contraire, il demanda, de cette voix morte avec laquelle on demande des détails, à son médecin, sur un traitement qu'il vous ordonne et qu'on est bien décidé à ne pas suivre :

— Ne pourriez-vous me dire à quelle température, à peu près?

— J'ai dit : température a-gré-able. D'ailleurs, il faut que tout ce que vous ferez, pendant une quinzaine au moins, soit pour vous un agrément. Avant tout, pas de soucis!

M. de Coantré regarda Gibout, du regard dont il avait souvent regardé M. Octave, quand M. Octave vaguait heureusement dans la sphère où se meuvent les gens riches. Mais il y a une autre sphère, où se meuvent les gens en bonne santé, et c'est dans cette sphère que se meuvent les médecins.

— Tenez, avant que vous ne partiez, dit Gibout, je vais vous montrer quelque chose qui va vous intéresser. Le D'Hozier de 1738 avec une notice sur les Coëtquidan. Figurez-vous, la dernière fois que votre oncle est venu me voir, il y a une quinzaine, je lui ai dit : « Monsieur de Coëtquidan, je vous glisse un tuyau royal. Ce volume-là est actuellement en vente, dépareillé, chez Champion, je viens de le voir sur le catalogue. Et pour rien : deux cents francs. Seulement, faites vite. » Savez-vous ce qu'il m'a répondu? « Si vous croyez que je mettrai jamais deux cents francs à un vieux bouquin! » Et ce même homme qui lésine pour deux cents francs, donne huit mille francs à une œuvre de bienfaisance dont il n'a jamais entendu parler!

— Il a donné huit mille francs à une œuvre de bienfaisance?

— Il ne vous a pas raconté? Ah! ça, au moins, c'est de la modestie vraie! Il m'a dit : « Je ne sais pas ce que c'est que cette envie de faire du bien qui m'a pris il y a une quinzaine. Est-ce que vous avez des cachets contre ça? Quand ça m'a pris, j'ai cherché l'annuaire des œuvres de ma sœur, en me disant que j'enverrais huit mille francs à l'œuvre sur la notice de laquelle j'ouvrirais le volume en l'ouvrant au hasard. Je suis tombé sur une certaine « Œuvre des Berceaux Abandonnés », qui est, à n'en pas douter, une vaste escroquerie, comme ses pareilles. J'ai envoyé les huit mille francs. » Il a ajouté : « Je sais, ce n'est pas une façon de faire française. C'est plutôt américain... »

— Mais... quand a-t-il fait cela? dit M. de Coantré, d'une voix blanche.

— Sa visite date d'il y a quinze jours, et c'était tout récent, puisqu'il disait : « J'ai reçu leur réponse la semaine dernière. »

— Je vous demande pardon, dit M. de Coantré, je ne me sens pas bien...

Il s'était penché en avant dans le fauteuil, comme quelqu'un qui cherche une autre atmosphère que celle où il est.

— Qu'est-ce qu'il y a donc?

— Je.. je... je vous demande pardon de vous

causer cet embarras... mais... je crois que je vais m'évanouir...

Gibout vit la face livide, et se leva précipitamment en disant : « Etendez-vous sur le sofa. » Au même instant, M. de Coantré se dressait, tournait un peu sur lui-même en murmurant d'une voix ténue : « J'ai honte... j'ai honte... », et Gibout le recevait dans ses bras.

X

LA révélation du médecin bouleversa M. de Coantré.
L'acte de M. Octave, jetant huit mille francs par la
fenêtre quand son neveu était dans la misère, lui
paraissait horrible et sans excuse. Il était bien loin
d'en pouvoir comprendre les raisons subtiles, et, les
eût-il comprises, il ne les eût pas avalisées : elles
le lésaient trop. Il n'était pas davantage homme à
se dire : « Quelque méchante action qu'il ait faite
contre moi, j'en ai commis d'analogues contre bien
des gens. Et pourtant je ne suis pas un mauvais
diable. Le père Octave est donc probablement un
bon homme. » Ces clairvoyances n'appartiennent
pas aux gens moyens : il leur faut leurs fumées.
Entre M. de Coantré et M de Coëtquidan quelque
chose se brisa, — net. Ainsi donc, ce long équilibre
— tout commerce entre deux humains est un difficile équilibre — avait enfin chaviré! Ainsi donc,
les mille petites peines que Léon s'était données,
pour maintenir cet équilibre, avaient été inutiles!
Se raser quand il allait chez l'oncle Octave, ne
pas mettre à cette occasion ses bottines jaunes avec
son costume noir, bien que ses bottines noires lui
fissent mal, et non les jaunes : tout ce qu'il avait
fait dans cet ordre avait été vain, et le regret de
s'être gêné pour rien revenait avec insistance parmi
ses autres sentiments, que par instants il dominait

tous. Il avait en outre une authentique peine du
cœur, l'amour intéressé qu'il professait pour son
oncle comportant une part d'affection véritable.
On ne comprend rien à la vie, tant qu'on n'a pas
compris que tout y est confusion.

« Tout cela est trop pour moi, se disait-il, hum-
blement. Oui, tout cela est trop pour quelqu'un
qui n'a pas la tête solide. » Jusqu'alors il n'avait
pas compris. « Est-ce qu'on va me laisser crever?
Tout de même, ils ne vont pas me laisser crever. »
Maintenant il avait compris. Ils le laisseraient
crever.

En une journée il vieillit et enlaidit. Son visage
restait plein et assez juvénile, mais ses cernes, aggra-
vés de lourdes poches, et son regard éteint, lui
faisaient des yeux qui semblaient n'appartenir pas
à son visage, comme deux trous faits par un rat
dans un fromage par ailleurs sain.

Il avait décidé qu'il ne demanderait plus d'argent à M. Octave. Si M. Octave lui en envoyait, il
l'accepterait; mais il n'en demanderait plus. Il lui
restait cent quatre-vingt-dix francs. Se souvenant
toujours du mot de Mlle de Bauret : « Si un jour
vous avez besoin de... », il lui écrivit (de son écriture de plus en plus conquistador : ferme, éner-
gique, magnifique). Mais sa seule échappée véritable s'ouvrait sur Mélanie. On l'a vu, il avait été
élevé dans cette illusion « distinguée », qu'il y a
toujours une ressource dans le peuple, que le peuple
est bien plus digne d'estime que les possédants. Il
imaginait une sorte d'association avec Mélanie,
sans en préciser le moins du monde (et pour
cause) les détails : en tout cas, une cohabitation.
Mais, puisque nulle part il ne pouvait vivre à meilleur compte qu'à Fréville, il fallait y rester quelque
peu encore, le temps au moins de recevoir l'argent

de sa nièce. D'autre part, ayant dit à Chandelier qu'il resterait un mois, partir à présent serait risquer que Chandelier lui fît une scène. Peut-être même l'aubergiste exigerait-il le paiement du mois entier. La peur lui faisait baisser les paupières, lorsqu'il se disait : « Il me veut du mal, et je le crois capable de tout. Il faut faire l'impossible pour rester bien avec lui jusqu'à la fin. » — Pas de courrier? demanda-t-il à Chandelier, d'une voix à peine intelligible, en arrivant pour dîner. — Non. Dix secondes ne s'étaient pas écoulées qu'il se mit à trembler. C'était le chagrin qui le faisait trembler. Mais, quand il eut mangé, ce tremblement cessa.

Mangeant, il se sentait, avec plus de pointe que jamais, entouré d'un cercle de mépris, de haine, de regards en dessous. Parce que pauvre, — parce que noble, — parce que pauvre et noble, — parce que citadin, parce que singulier. Pour tous une énigme, c'est-à-dire une provocation. A part, irrémédiablement. Aussi séparé de ses compatriotes que s'il avait été au fond du pays des Botocudos. Pourtant ils avaient avec lui quelque chose en commun, la médiocrité; ils auraient dû l'aimer; mais la différence l'emportait. Il sentait, il *voyait* que l'insolence était au bord des lèvres, qu'un mot, un geste de sa part, qui prêterait à être mal interprété, la ferait jaillir, et il était prisonnier. De même qu'à son hôpital de guerre, il n'osait pas lever les yeux, et il fumait entre les plats, se soutenant par cette attitude. Il ne comprenait pas pourquoi à Chatenay tout se passait si bien; il n'y avait rien à comprendre, sinon que les circonstances, les hommes, et lui-même avaient changé (le fond était qu'à Chatenay il avait de l'argent, ou pouvait en avoir). Et toujours il mesurait le contraste avec

Paris, où personne ne s'occupait de lui. Décidément, Paris était le seul endroit où l'on pouvait être pauvre impunément. La campagne, il fallait y être le maître, le seigneur, n'y être que de passage.

En sortant dans le village, il voûtait les épaules, gardait les yeux baissés. Toujours cette phobie d'*être regardé*.

Dès son retour de Saint-Pierre, il avait remis dans sa valise et dans sa mallette toutes les affaires qu'il en avait sorties — sauf celles d'usage courant — comme pour se rappeler constamment à soi-même qu'il allait bientôt partir. Par ailleurs, la faiblesse de son esprit se satisfaisait de ce que tout son avoir fût rassemblé, pût être embrassé en un seul regard : cette unité le pacifiait.

Il avait repris son habitude de rester couché sur le lit toute l'après-midi; peu à peu, il s'essayait à reprendre toutes ses habitudes d'Arago. Mais cette coucherie était dérangée à chaque instant par le feu de bois : maintes fois il devait se lever parce qu'une bûche roulait dans la chambre, parce que des étincelles y sautaient, parce que le feu menaçait de s'éteindre, parce qu'il flambait trop fort; ou bien la cheminée fumait, et à peine faisait-il bon dans la pièce, qu'il fallait ouvrir la fenêtre à tous vents, pour faire partir la fumée; ah! la rusticité se paie cher! Même dans une turne comme Arago, il s'était fait une adaptation de tous les jours, qui faisait que tout y était au point. Etendu sur le lit, ses yeux restaient fixés sur sa valise et sa malle, symboles du départ. En vain la « vilaine action » de M. Octave avait-elle couvert pour lui de sépia, la veille, toute l'époque Arago. Par besoin d'espérer, il rêvait à son départ de Fréville pour Paris, comme jadis, au régiment, il avait rêvé à son départ du régiment; comme il avait rêvé à Arago de son départ d'Arago; et même comme il avait rêvé à Chatenay de son départ de Chatenay, bien que de cela il n'eût jamais convenu. Ainsi sont les hommes.

Le surlendemain de sa visite à Gibout, on lui remit chez Chandelier une lettre timbrée de Saint-Pierre-du-Buquet. Gibout! Il pensa que le médecin avait eu un remords, l'avait enfin pris au sérieux à la suite de sa syncope, lui écrivait pour s'informer de sa santé, pour lui ordonner un traitement. Ce lui fut un rayon de soleil. De l'enveloppe ouverte il tira un vaste papier : deux feuillets de grande dimension, joints l'un à l'autre par de la colle. C'était l'arbre généalogique des Macé de Thianville, entièrement recopié de la main du docteur.

Le lendemain il eut un nouvel étourdissement. Assis sur la chaise, comme l'autre fois, il regarda de tous côtés, avec un air traqué, la bouche entrouverte, comme ces soldats qui, choqués par une explosion d'obus, vous disaient ensuite : « Prends-moi la main. » Comme l'autre fois, un besoin de faire quelque chose, n'importe quoi, le poussa à se lever, à aller chercher de l'eau de Cologne. Il resta là, tantôt respirant l'eau de Cologne, tantôt s'éventant avec un morceau de buvard, croyant qu'il allait mourir d'une seconde à l'autre, et accueillant cela sans aucun sentiment. Son pouls était imperceptible. L'angoisse devint si forte qu'il posa l'eau de Cologne et le buvard. Il ne faisait plus que crisper ses mains l'une à l'autre — gercées, semblables à des feuilles mortes — et les regarder fixement; elles étaient devenues le centre de son univers. Après quelque temps il se sentit délivré, et cessa de regarder ses mains.

Un mot lui vint, qui désormais le hanta : « ...cesser de plaisanter. » Qu'un baladin du forum ou de

la littérature, quand il se sent touché par un aver-
tissement tragique, réagisse par un : « Fini de plaisanter », on le comprend. Mais M. de Coantré,
pourquoi?

Il résolut de retourner chez Gibout. Son émotion
lui semblait irrésistible. Il saurait bien le convaincre
cette fois qu'il méritait d'être soigné.

Chez Chandelier, il ne put manger : les morceaux ne passaient pas. Dans le fond de la salle,
sa houppelande sur les épaules (il avait toujours
froid), son feutre sur la tête (pour se distinguer
moins de ses voisins en étant aussi rustre qu'eux),
il voyait ces grossiers au comptoir, avec leurs cris,
leur effrayante santé, leurs panses à planter le couteau dedans, leurs dents tellement vertes que ce
n'étaient pas des dentures, c'étaient des jardins. Le
monde se divisait pour lui en deux univers : le
sien, et celui de la santé. Il avait si froid (ses mollets surtout étaient froids), qu'il but trois petits
verres de rhum.

Chandelier détestait davantage encore M. de
Coantré depuis que celui-ci était malade; c'est là
un mouvement trop naturel pour qu'on puisse en
faire grief à l'aubergiste. A des consommateurs, il
expliquait :

— Paraît que c'est un comte! Le jour que je
l'ai vu débarquer, j'ai dit au père : « C'est un
homme qu'a des passions. Regarde les boursoufles
qu'il a sous les yeux. Ça, tu sais, ça ne trompe
pas. » Moi, quelque chose me dit qu'il a fait des
malhonnêtetés. Dès le premier jour, ici, il a essayé
de se rapprocher. Mais on ne l'a pas laissé faire.

Il y avait trois sentiments dans l' « âme » de
Chandelier, trois exactement : l'âpreté au gain, la
mauvaise foi et l'envie. Par là, Chandelier était un
bon spécimen-type.

Six mâles et femelles attendaient dans le salon de Gibout quand Léon arriva. Il s'assit, et repassa dans sa tête ce qu'il dirait au médecin : « Vous savez, je crois que le moment est venu de prendre cela en main avec énergie. » Il comptait, pour se faire bien voir, lui promettre des renseignements sensationnels sur les alliances des Champagny dans le Nivernais.

Le temps passa. Léon se gardait bien de toucher aux illustrés et aux livres disposés sur la table; à l'exemple de tous les autres clients, il ne pensait pas, — développant à son comble la puissance majestueuse qu'il avait de ne s'intéresser à rien. Après vingt-cinq minutes, personne n'ayant été introduit dans le cabinet, des idées injurieuses traversèrent M. de Coantré : « Gibout est en train de faire l'amour avec sa femme », ou « Il lit son journal, et ne nous laisse moisir que pour faire croire qu'il est surchargé de travail », ou : « Il est occupé à des recherches nobiliaires visant à découvrir lequel des deux se mésallie, dans le mariage de la carpe et du lapin. » Il s'apercevait qu'il n'avait que manque d'estime et malveillance pour cet homme entre les mains duquel il venait mettre sa vie; il ne lui pardonnait pas de ne l'avoir pas pris au sérieux; peut-être ne lui pardonnait-il pas davantage sa santé, ses enfants, son argent. Un silence de salle de baccara régnait dans le salon, et sur les visages un abrutissement bovin : nul, semblait-il, ne trouvait à redire à cette attente prolongée, comme si la prostration actuelle de ces gens ne différait que peu de l'état qui leur était ordinaire. Enfin, après quarante minutes, Gibout ouvrit la porte, et de la tête indiqua : « Au premier. » Une vieille femme se leva et entra. Gibout, dans ce court instant, avait adressé un sourire à M. de Coantré.

Un quart d'heure s'écoula. Léon avait eu une légère surprise, en voyant que Gibout ne lui faisait pas signe d'entrer le premier. « Tout de même, je suis le comte de Coantré, le neveu du baron de Coëtquidan. Est-ce qu'il va faire passer avant moi cette demi-douzaine de vachers et de vachères? Peut-être qu'il a reçu, depuis l'autre jour, un mot du père Octave, qui ne peut laisser aucun doute sur mon degré d'importance sociale. » C'était certainement chose très nouvelle chez Léon, que cette sensibilité à ce qui lui était dû. M. de Coantré enragé de tenir le haut bout, c'est un spectacle! Il avait attendu des heures dans l'antichambre de Lebeau, et l'avait trouvé bon. Peut-être que ce mouvement d'humeur naissait en partie de son affaiblissement physique, en partie de cette extrémité de misère morale où les derniers événements l'avaient conduit. Il était arrivé au bout de ce qu'il pouvait soutenir; il fallait qu'il passât à un état différent du tout. Il avait été battu comme le fer rouge, et maintenant il devenait solide. Quand Gibout ouvrit de nouveau la porte, Léon le fixa dans les yeux; Gibout lui fit un signe d'amitié et lui dit : « Vous avez bien un petit instant? » il dit : « Oui, oui », avec bonne grâce, et son humeur était tombée; un sourire de Gibout l'avait fondue. Mais, la visite n'en finissant pas, la colère recommença de se former et de se gonfler en lui; une chaleur lui montait aux joues. Une idée folle le traversa, dont il ne fut le siège que le temps de la repousser : celle de partir avec éclat. Il en mesura toute la folie : s'interdire le seul homme d'ici qui pût faire quelque chose pour sa vie! Il attendit encore.

Quelqu'un qui l'eût vu alors n'eût reconnu ni le visage bonhomme du Coantré d'Arago, ni la face angoissée du misérable qui, ce matin, émergeait de sa crise : cette prétention qui lui était venue à l'improviste, d'être traité honorablement, et son impatience de ne l'être pas, mettaient sur sa figure une expression insolite, et à peine croyable, de dureté. Et en vérité, dans ce moment-là, il haïssait Gibout. Il s'abandonnait à cette haine, avec une délivrance profonde. Elle lui faisait du bien, lui donnait la sensation d'être un autre homme, comme s'il venait de boire d'un trait un alcool violent. Pour la première fois depuis combien de temps, il cessait de courber l'échine : colère, haine, fierté, méchanceté, quelles que fussent les composantes de son sentiment, ce sentiment était à coup sûr une vigoureuse affirmation de vie. Il avait la conscience nette qu'il lui serait impossible de n'être pas insolent avec Gibout quand celui-ci le recevrait, et que d'ailleurs il ne chercherait pas à ne pas l'être. A chaque minute il regardait sa montre. L'idée de nouveau l'envahissait : partir. Il *savait* qu'un moment viendrait où plus rien en lui ne ferait barrage contre elle...

Tout à coup il se dressa, alla vers la porte, jeta d'une voix coupante, mais sans regarder personne en face : « Si ça vous plaît, à vous, de vous faire f... de vous par un médicaillon! », ouvrit la porte. Il entendit qu'on se levait dans une pièce voisine. La bonne parut.

— Vous direz au docteur que je ne suis pas quelqu'un qui attend pendant une heure et demie à la porte d'un médecin de village.

Il sortit. La nuit s'était faite. Sa colère avait tous les caractères de l'ivresse : elle lui donnait l'audace et le plaisir que donne l'ivresse. Ce sentiment n'est pas particulier aux faibles : « La colère est douce comme le miel », dit Achille. Il n'avait pas fait

dix pas qu'il apercevait l'autocar, qui venait de
s'arrêter. Il y monta.

Ils n'étaient que trois voyageurs dans le car,
qui volait entre deux rangs de fantômes (les troncs,
peints en blanc, des arbres bordant la route), et
cette vitesse s'accordait au rythme de ses sentiments.
Il se répétait : « Maintenant j'ai compris. »
Qu'avait-il compris? Qu'y avait-il de changé dans
sa vie? Devant elle l'abîme demeurait. Mais quelque
chose était changé, qui était l'idée qu'il se faisait
de soi-même. Comme certains volets, un mouvement
à peine perceptible de deux doigts ouvre leurs
lattes, et la pièce qui était dans les ténèbres devient
une féerie ensoleillée : ainsi, une simple modifi-
cation d'attitude — il se rebiffe au lieu d'accepter, — et tout son paysage intérieur passe de
l'ombre au soleil.

Il descendit au lieu-dit, et s'engagea sur le chemin forestier. La forêt était sans bruit, sans odeur,
sans couleur. Sous un ciel plein de neige supportée
passaient de grands nuages rapides et froids. La
lune, brouillée comme un visage de fillette après
une nuit d'amour, donnait sa petite représentation
coutumière : tantôt sur un toit, tantôt dans des
branches, et tantôt entrant dans un nuage, comme
un lapin dans son terrier. Tout cela dénué de la
moindre prétention à la poésie, et le désespoir du
littérateur. Les pins faisaient rideau contre le vent
de mer; leurs fûts découpaient le ciel blanchâtre en
hautes baguettes verticales, qui donnaient l'illusion
d'un taillis d'énormes cierges. Mais quand M. de
Coantré passait dans un « jour », les vents défer-
laient sur lui, et les arbres, là-bas, se balançaient
en se heurtant comme des gens ivres. En vue de la
maison Picot, il s'arrêta pour regarder des oies sauvages qui migraient. Le volier avait la forme d'un

long ruban naviguant très bas, à deux cents mètres peut-être, onduleux et tout d'une pièce comme un tapis volant des Mille et une Nuits, ou comme quelque monstrueux serpent de l'air. Les oies volaient — une cinquantaine — bec au vent, d'un vol sans passion, sans chiqué, vigoureux et tranquille. Le chef de file ayant changé son plan de vol, toutes les autres l'imitèrent, avec une promptitude et un ensemble tels que le volier, de bout en bout, parut pivoter autour d'une charnière; et toute la ligne, découvrant les poitrines et les abdomens au lieu des manteaux, passa du gris brun au gris de cendre. M. de Coantré, immobile, les regarda jusqu'à ce qu'elles eussent disparu. Elles étaient libres! Elles n'avaient pas d'ennuis d'argent! Elles allaient aux pays du soleil! Et il restait songeur, frappé par cette impression de volonté, de cohésion, de mystère, d'apport lointain que le volier laissait derrière lui, comme une traînée de rêve à travers le ciel vide.

Dans la maison, le feu s'était éteint. Il le ralluma. Il sortait chercher d'autres fagots quand il entendit le cri des oies, leur cri de voyage, si différent de leur cri en temps normal (l'un et l'autre un cri féminin, plus chantant que celui du canard sauvage). Il fouilla le ciel, mais ne put discerner la nouvelle troupe : elle volait trop haut. Et il y avait quelque chose de troublant dans ces signes d'une vie qu'on ne voyait pas, dans ces cris qui semblaient être des cris poussés par le ciel lui-même. M. de Coantré resta là, tant qu'il crut percevoir des cris. Quand il rentra, le feu s'était encore éteint. Il le ralluma.

Il s'installa, et, gardant toujours sur lui sa houppelande et son feutre, dîna de conserves. Il mangea peu, n'ayant trouvé que peu de provisions dans le

placard. S'il avait mangé beaucoup, ses sentiments
durant les heures qui suivirent eussent été autres.
S'il s'était un peu tapé la tête, ils eussent été autres
encore. On voit par là combien ces sentiments
avaient peu d'importance; un hasard les faisait ce
qu'ils étaient; tous les sentiments sont ainsi.

« Maintenant j'ai compris », se répétait-il en
mangeant. Il avait compris la *recette* qui lui permettait d'échapper à sa tristesse : cette recette était
la fierté. « Comment n'y avais-je pas pensé plus
tôt? » Par fierté il avait rompu avec l'homme qui
pouvait lui sauver la vie. Par fierté il avait rompu
avec l'homme qui pouvait lui donner de l'argent.
Et toutes ses misères, automatiquement, passaient
du plan du sordide à celui de la hauteur, où elles
cessaient de lui faire mal.

Cependant, le feu s'était de nouveau éteint. Cette
lutte contre le feu était épuisante. Il balança s'il le
rallumerait, et puis, avec lassitude : « Eh bien!
puisqu'il ne veut pas! » Et il se fourra tout habillé
sous le drap. Il resta là, immobile, les yeux grands
ouverts sur le mur, regardant la buée qui lui sortait
de la bouche, et mettait dans la chambre comme
une présence étrangère. Il cherchait à distinguer si
dans le silence il n'entendrait pas d'autres cris de
voyageuses. Mais il n'entendait rien, que parfois un
meuble qui craquait, avec une force sauvage, une
force d'homme ou de bête. S'il avait entendu les
oies, il se fût tiré du chaud et fût sorti, tant le premier passage l'avait remué. Ainsi des malades reclus
mettent un monde de nostalgie dans la contem-
plation d'un coin de ciel bleu, ou l'évocation de
certain paysage. Et il y a des simples, voire des grossiers, qui sont envahis d'une mystérieuse émotion
poétique, dont ils n'ont pas eu l'analogue dans toute
leur vie — au point de se mettre à écrire des

bouts-rimés — quand la main de la mort est sur eux.

Il éteignit; le froid lui parut plus vif; il tira le drap sur son visage, comme il faisait du temps de Mariette, quand il voulait penser à elle avec plus d'acuité. Fut-ce, en partie, un effet des ténèbres? Il avait la sensation poignante que cette force qui lui était venue le quittait, retournait à l'atmosphère, comme une ivresse qui se dissipe, comme la chaleur et l'éclat se retirent d'un radiateur qu'on vient d'éteindre (ses yeux eux-mêmes s'éteignaient). Pourtant cette force ne le laissait pas tel tout à fait qu'elle l'avait trouvé. Il avait été amené à la pointe de son être, puis au delà, jusqu'à une région presque inconnue de lui, par une longue lame de fond; maintenant, se retirant, elle le laissait seul, lointain, détaché de lui-même et du reste. « Personne! Personne! » se répétait-il, intérieurement. Sous le drap, un sourire, qui était la fleur extrême de sa tristesse, se dessina sur ses traits et y resta, tandis qu'il remuait un peu la tête, comme lorsqu'on veut dire : « Incroyable! C'est incroyable! » Il avait déjà coulé dans le sommeil, que ce sourire mystérieux était encore sur ses traits.

Dehors continuait la nuit sans histoire. Toute la forêt craquelait sous le vent et le froid. Les crapauds endormis battaient au fond du feuillard, secoués par leur cœur trop fort. Les renards dormaient dans leurs tanières, le museau sur l'échine l'un de l'autre, ravis de leur puanteur; et les sangliers dans leurs bauges, rêvant à la glace étoilée qu'ils avaient léchée à la lumière du soir. Dans les souillats récents l'eau se congelait de nouveau, et la boue durcissait, alentour, sur les troncs d'arbres où les biches et les cerfs s'étaient frottés. Mais au fond du ciel clair, au-dessus des immobilités tapies, les oies sauvages passaient toujours, les pattes collées

au ventre, soutenues par le vent, parmi les myriades
d'insectes des hauteurs, le long de la grande route
migratrice, semblable aux routes invisibles qu'il y
a sur la mer pour les vaisseaux, ou à celles que
suivent les astres. Ces bandes-ci volaient en V, chacune des passagères touchant presque l'autre, sauf
trois d'entre elles qui volaient isolées, sans qu'on
comprît pourquoi. La force incroyable de leur vol
faisait là-haut le bruit de trombe que fait un peloton cycliste sur la piste d'un vélodrome. Quelquefois le V se fragmentait, et les tronçons en conti-
nuaient dans le même sens. Puis ils se ressoudaient,
attirés les uns vers les autres par une sorte d'attraction magnétique, tandis qu'un autre courant
d'attraction entraînait tout le volier vers le sud,
comme l'aiguille de la boussole ou la baguette du
sourcier. Mais toujours les trois dissidentes volaient
à l'écart, singulières et rebelles, pareilles à des
pensées profondes.

M. de Coantré, qui avait dormi un peu, s'éveilla,
et trouva installé en lui un projet qu'il avait vaguement entrevu, l'été dernier, et qui réapparaissait à
l'état de décision arrêtée : dès le lendemain, il
entrerait à l'hôpital du Havre. Il ne doutait pas
qu'il y serait accepté : ou on le considérerait comme
indigent, et il serait pris sans payer, ou on tablerait
que sa famille, l'heure venue, aurait le geste nécessaire. Il était retombé à un état où il ne se sentait
pas de droits, mais comptait toujours, comme avant,
sur la bienveillance et sur la pitié. Quant à son
mal, quel qu'il fût, il ignorait s'il était grave ou
non, mais, s'il le fallait, il saurait bien se faire
passer pour plus atteint qu'il ne l'était : ainsi,
même en cette heure solennelle, ses roublardises
minuscules ne l'avaient pas abandonné. Il avait
beau voir combien peu elles lui avaient servi, il

avait beau recevoir du destin des avertissements
répétés, nulle lueur ne le visitait, et ce qu'il était,
il le serait jusqu'au bout; et dans les maisons basses
du hameau, comme dans les tanières de la forêt,
la même nuit intérieure obturait les bêtes et les
hommes, fantoches fraternels, dans leurs sommeils
à peine moins conscients que leur veille.

Cette perspective de l'hôpital lui donna presque
le même en-avant qu'il avait reçu de sa colère chez
Gibout. A l'hôpital, il aurait chaud sans avoir à
s'occuper du feu; il aurait la bonne sensation de ses
jambes nues sous le drap, sans devoir garder au
lit son pantalon ou seulement son caleçon, comme
il avait toujours dû le faire ici. Oh! il n'était plus
question de fierté. La fierté, un moment, l'avait
soutenu, dressé, comme un corselet de fer; le corselet relâché, le corps de nouveau s'était avachi.
Avant tout, ce départ pour l'hôpital donnait un
but précis à sa journée du lendemain, le faisait
échapper au désœuvrement sinistre, au désœuvrement infernal qui l'attendait. Il songea que, sitôt
levé, au matin, d'abord il se laverait un peu le
corps; et puis il bouclerait malle et valise : la seule
imagination de cet acte le fit frissonner de joie; il
se sentait le courage de tenir tête à Chandelier, de
trouver sans l'aide de personne, dans le village hos-
tile ou qu'il croyait tel, un homme qui voiturât ses
bagages jusqu'au lieu-dit... A travers les volets, la
clarté de la nuit entrait dans la chambre; il se
représentait les voyageuses qui s'en allaient à tire-
d'aile vers la chaleur et la lumière, et il confondait
sa propre espérance avec cette autre espérance qui
volait en haut des cieux.

Elles s'étaient assemblées il y avait deux jours,
dans une agitation sacrée, jetant des cris et battant des ailes, poussées par un mouvement divin,

qui était leur désir d'être heureuses. Depuis longtemps déjà elles s'exerçaient à de longs périples, où
elles trompaient leur anxiété de partir. Ce qu'elles
voulaient, c'était se donner au soleil un grand congé
d'amour et de vie agréable; ensuite, pour la saison
des nids, des soucis et des devoirs, elles pourraient
revenir dans les régions ennuyeuses. Elles savaient
la dureté épuisante du voyage, et celles d'entre elles
qui se poseraient de fatigue sur les flaques d'eau,
où elles seraient tuées d'un coup de canardière,
celles qui tomberaient à la mer, pour la joie des
requins, celles qui seraient dévorées par les faucons
pèlerins qui suivaient affreusement le volier. Mais
rien de tout cela ne les rebutait, non plus que la
nuit, les vents, la pluie, la brume, le manque de
points de repère terrestres. Car au delà il y avait
les cols des Pyrénées, où la pluie et la brume ces-
seraient brusquement, comme si une paroi aérienne
leur faisait obstacle; au delà il y avait l'Espagne
odorante; au delà les eaux vertes et les eaux bleues
de Gilbraltar, se côtoyant sans se confondre: et
Tanger à la gorge bleuâtre, tourterelle sur l'épaule
de l'Afrique; et plus loin les étangs chauds et roses,
dormant leur paresse enflammée. Et elles allaient,
ne voulant pas s'arrêter, s'arrêtant tout juste le
temps de boire et de lustrer leurs plumes dans un
point d'eau, pressées, pressées, comme si elles
savaient bien qu'on peut mourir pour une minute
de trop qui n'est pas du bonheur.

A cette heure, il y avait aussi, partout, des
hommes qui arrivaient en vue de la mort. Ceux qui
s'étaient gouvernés par des principes, et ceux qui,
mollement, s'étaient abandonnés aux hasards, ceux
qui s'étaient torturés pour rien et ceux qui n'avaient
eu d'autre souci que jouir, ceux qui avaient fait le
mal et ceux qui ne l'avaient pas fait, tous, quand

ils arrivaient en vue de la Grande Muraille, prenaient entre eux une ressemblance qui était un
aveu. On ne voyait plus bien en quoi ils différaient
et avaient différé les uns des autres. On voyait
moins encore à quoi il leur avait servi de chercher
à différer, de chercher à dépasser, de vouloir ceci
plutôt que cela, de croire ceci plutôt que cela; tout
cela, en fin de compte, était la même chose; cela
n'avait été, pour les uns comme pour les autres,
qu'une façon de passer le temps, et maintenant ces
hommes, qui avaient marché disséminés et hostiles,
se rapprochaient et se groupaient, comme font des
hommes qui sont obligés de passer par la même
porte. M. de Coantré était parmi eux, quelque part,
à peu près pareil à chacun d'eux (puisqu'ils avaient
tous à peu près le même visage), pas beaucoup
plus haut que les vilains et les criminels, pas beaucoup plus bas que les héros et les illustres. Tout
à coup, il s'éveilla en sursaut. Ce n'était plus le
Coantré de la hauteur d'âme, ce n'était plus le
Coantré de la petite espérance, c'était encore un
autre Coantré, qui se dressa d'un coup sur son
séant, s'accrochant au drap avec les poings serrés,
et resta ainsi, droit, immobile, les yeux dilatés,
comme une chauve-souris clouée contre un mur.
L'âme, en se convulsant, lui aspirait la peau du
visage, lui creusait les orbites et les joues au point de
le défigurer. Des mains de froid s'étaient posées sur
ses mains, mais à présent il ne le sentait plus; il avait
dépassé tout cela. Puis il lâcha le drap, et ses mains
se portèrent sur les montants de fer du lit. Soudain,
il cria d'une voix terrible : « Madame Mélanie, restez! Je ne veux pas mourir seul! » Sa main droite,
se crispant sur le montant du lit avec une force de
gorille, le tordit comme une corde, et il retomba
sur l'oreiller, en faisant une grande expiration.

XI

Deux jours passés, Chandelier, ne voyant pas repa-
raître M. de Coantré, fut pris d'une double inquiétude, celle de mécontenter le baron en ayant mécon-
tenté son neveu, et celle que quelque chose ne fût
arrivé, et il alla frapper à la porte de la maison
Picot. Elle était fermée, ainsi que les volets; on ne
répondit pas. Il se dit que peut-être M. de Coantré
était retourné à Paris, mais, le trouvant étrange,
écrivit au baron.

Cent fois nous avons des pressentiments. Quatre-
vingt-dix-neuf fois ils se révèlent faux, mais une
fois tombent juste; alors nous prenons des airs,
nous disons qu'il y a des *choses mystérieuses*. Quand
M. Octave reçut la lettre de Chandelier, il eut l'in-
tuition, vraiment extraordinaire, que Léon était
mort. Et dans la même seconde jaillit de lui, avec
la force d'une fusée, le vœu qu'il le fût.

Il envoya Papon à Fréville par le premier train.
Et il se disait : « S'il était mort, quelle solution
miraculeuse! Il y aurait de quoi croire à la Providence. »

Il y avait maintenant quatre jours que Léon
n'avait pas reparu. Papon et Chandelier allèrent
voir le maire, qui décida de faire ouvrir la porte
de Picot par un serrurier.

On trouva M. de Coantré mort, étendu sur le

lit. Il n'y avait rien dans son cadavre qui méritât description. Gibout, appelé, constata une congestion cérébrale typique, et le maire donna le permis d'inhumer.

Au reçu de la dépêche du Papon, M. Octave lui envoya un mandat télégraphique, avec ordre de faire les choses décemment, mais sans frais superflus, et que le corps fût enterré au cimetière de Fréville. D'y aller lui-même, il n'était pas question.

Il avait eu un moment de trouble en apprenant la mort de Léon. Puis il se dit : « En admettant que j'aie eu des torts — ce qui n'est pas certain, cela serait à voir, il faudrait reprendre tout dans le détail, — à quoi bon me tourmenter? Là où il est, il ne juge plus. Il est profondément inutile de rechercher si j'ai eu des torts ou non. Tout cela est du passé. »

Mme Emilie se montra affectée. Touchant Léon elle avait pensé à tout, mais non pas qu'il fût mortel. « Et Dieu sait pourtant que nous avons fait pour lui tout ce que nous avons pu! » Après un moment consacré aux souvenirs, et à des plaintes sur la nécessité de faire venir des gens du Havre pour désinfecter la maison du garde, alors qu'on l'avait déjà fait il y avait six semaines quand le garde était mort, elle se retira dans sa chambre, et, agenouillée sur son prie-Dieu, pria pour Léon.

M. Elie reçut le pneumatique dans la pension de famille que lui avait trouvée M. Octave, pension de famille tenue par une veuve, personne de bon lieu, qui avait commencé par louer une de ses chambres à un officier américain pendant la guerre, et de là avait glissé à prendre des pensionnaires, sans que ce bisness l'amoindrît aux yeux des siens, couvert qu'il était par son origine patriotique : petit trait à ajouter à la dette française envers les

Etats-Unis. M. Elie, en main le pneumatique, resta un long temps comme frappé, ses yeux pâles perdus dans le vide, et songeant : « Voilà ce qui m'attend. »

Mélanie, prévenue par lettre, se sentit les jambes coupées, entra chez son concierge, demanda une chaise, s'affala dessus avec un air de l'autre monde. On dut lui apporter un verre d'eau, etc. Parmi ce qu'elle dit, il y eut un mot remarquable : « Pauvre M. de Coantré! Il est mort parce qu'il n'avait plus personne pour se *déclarer*. « (A qui se confier.)

Mlle de Bauret avait reçu à Cannes, où elle faisait une cour de tous les diables à un jeune Polonais extrêmement enchanteur, la lettre de M. de Coantré lui exposant sa situation. Elle avait eu un mouvement d'impatience : « Tout de même, ce ne sont que de petites histoires de sous, quand, moi, j'ai à m'attacher un homme! » Mais elle avait, par le premier courrier, envoyé un mandat de cinq cents francs, qui arriva après la mort de Léon. La dépêche de M. Octave lui annonçant cette mort la toucha également à Cannes. Elle n'eut aucune hésitation : elle décida tout de suite qu'à aucun prix, et dût-elle se brouiller avec la famille entière (mais elle savait bien qu'on ne se brouillait avec personne à cause de Léon), elle ne se dérangerait ni pour l'enterrement ni pour quoi que ce fût. Comme elle avait prévenu qu'elle n'aurait d'itinéraire que celui de son caprice, elle fit le mort, et après huit jours, quand elle jugea que l'enterrement devait avoir eu lieu, pria une amie, qui villégiaturait en Corse, d'envoyer, signé de son nom, un télégramme ainsi conçu au baron : « Apprends seulement nouvelle, dépêche m'ayant suivie de ville en ville. Désolée trop tard, etc. » Elle écrivit à M. Octave, par la même voie, une lettre parfaite.

Gibout écrivit au baron une lettre qui, de même, fut jugée parfaite. Il expliquait comment la science est quelquefois impuissante à prévoir un mouvement rapide de la nature. Il parlait de Léon en termes parfaits. « Il était content de venir me voir, parce qu'il pouvait causer avec moi généalogie. »

Tout le monde était très saisi, d'abord, par le caractère dramatique de l'affaire, mais ensuite on était content pour Léon, qui aurait traîné une bien triste vie, tandis que comme cela il avait retrouvé sa mère, et aussi pour M. Octave, qui se tirait avec élégance d'une situation où il avait toujours eu le beau rôle, mais qui à la longue fût devenue pesante; on le regardait avec un peu de l'attendrissement qu'on a pour un *rescapé*. Il y a quelque chose de primaire à s'étonner de l'indifférence des êtres devant la mort d'un de leurs proches. De tous ces gens dont nous parlons, aucun n'avait aimé M. de Coantré. Comment sa mort eût-elle provoqué en eux autre chose que de l'indifférence? Ils en avaient heureusement la surprise nerveuse, qui leur permettait de faire les figures qu'il fallait.

A Fréville, l'importance faisait battre le cœur au Papon. Vive la mort, qui rend les gens importants! Le Papon était un homme capable. Il y avait dix-sept ans qu'il servait M. Octave, et trois seulement qu'il le volait, enflant la dépense du manger de quatre cents francs par mois régulièrement. Il lui était dévoué, et, dans cette affaire-ci, touché du rôle qu'on lui donnait, prit ses intérêts avec la dernière rigueur. C'est ainsi qu'il choisit le bois le meilleur marché pour le cercueil, jugeant, en valet qu'il était, qu'on n'a pas à faire de frais pour ce qui ne se voit pas.

Sitôt ouverte la porte de la maison Picot, et tandis qu'on faisait les premières constatations, le Papon,

assuré que nul n'avait pu compter cette monnaie
avant lui, vola huit francs dans une tasse où M. de
Coantré, par manie de célibataire, avait recueilli
une trentaine de francs de billon, tenant qu'il faut
avoir toujours de la monnaie sous la main. Mais
là ne fut pas, bien entendu, le véritable délice que
cette mort donna au Papon. Même en supposant
des héritiers que la mort du *de cujus* attriste vraiment, cette tristesse est presque toujours allégée
par la volupté qu'ils ont à fouiller dans les affaires
du mort, à violer le secret de son intimité, et à
espérer qu'ils découvriront quelque chose de scan-
daleux dans ce magma inhérent à toute chambre
mortuaire (objets, correspondance, dossiers, etc.),
sorte de sécrétion que jour à jour produit chaque
homme et au cœur de laquelle il fait son nid. La
société donne aux individus un bonheur fort quand
elle leur permet, dans certains cas, de se licencier
avec la complicité de la Loi : à l'héritier qui peut
voler légalement, au policier qui peut brutaliser
légalement, au juge qui peut légalement rendre
l'injustice, au colon qui peut assassiner légalement
l'indigène dont la tête ne lui revient pas. A fouiller
dans les affaires de M. de Coantré, dans une pre-
nante atmosphère de Police Judiciaire, le Papon
éprouva un des plaisirs les plus *fins* qu'il eût
éprouvés de sa vie. Il ouvrit un paquet de lettres
adressées jadis par Mme de Coantré à son fils, et
attachées par un lacet de soulier, et en lut quelques-
unes, mais elles étaient si innocentes qu'elles l'ennuyèrent et il en resta là. Il glissa dans sa poche
le carnet intime de Léon, pour le lire en wagon,
durant le trajet du retour (il le remettrait dans la
valise en arrivant). Certain paquet cacheté l'en-
ragea, qui portait la mention « A brûler sans lire
après ma mort. » Il eût pu lire et jeter ensuite,

mais il n'osa pas. Tout cela rangé, il dîna comme quatre chez Chandelier, car le lugubre et le sublime affament.

Beaucoup du mal qui aurait pu être dit sur Léon, à Fréville, ne fut pas dit, parce que le Papon et Chandelier ne se parlaient que dans les circonstances officielles, se tenant mutuellement pour un « paysan » et pour un « larbin».

M. Octave ne put songer un instant à faire le voyage de Fréville pour l'enterrement : la température était trop peu clémente, ses bronches ne le supporteraient pas. A plus forte raison Mme Emilie, de santé si délicate. M. Elie dit qu'il n'avait plus l'âge de prendre le train à sept heures du matin, en hiver, qu'il ne le ferait pour personne, pas même pour son frère. M. Octave fut assez gentil pour ne pas lui offrir son auto, afin de lui laisser son prétexte. Toute la famille avait été prévenue, mais pas une personne n'alla à Fréville. Gibout s'excusa : il avait une consultation au Havre à cette heure-là. Le cercueil de M. de Coantré ne fut suivi que par le valet de chambre de son oncle.

Papon rapporta la petite malle de M. de Coantré : c'était tout ce qui restait de la maison de Coantré, comme la malle que le flot rejette sur la grève, seule épave d'un bâtiment perdu. Le baron trouva dedans de petits objets de ménage, un crucifix, une boîte d'outils. Dans le carnet d'adresses, on avait glissé des articles découpés dans des journaux, articles consacrés à la *longévité*, ce qui tend à prouver que, si amère que puisse apparaître à certains la vie de M. de Coantré, il souhaitait que cela ne finît pas de sitôt.

Le Papon remit à M. Octave les factures qu'il avait acquittées à Fréville. Parmi elles se trouvait celles des repas de Léon chez Chandelier. M. Octave trouva que Léon mangeait beaucoup, pour un homme qui n'a pas d'argent. Mais il devint sévère quand il lut : « deux rhums, 1 fr. 50 », puis, le lendemain : « trois rhums, 2 fr. 25 », puis : « une bouteille de rhum, 15 francs ». Cette consommation de liqueur était d'autant plus imposante que Chandelier avait doublé les frais de Léon chez lui, en facturant des mets et du rhum que Léon n'avait pas pris. « Il buvait donc! pensa le baron. Voilà qui explique bien des choses! » Il entra dans une longue rêverie.

Un des mouvements classiques de l'idiot humain, c'est celui de reconstituer tout l'animal par un seul os, seulement, à la différence de Cuvier, de le faire sur une donnée fausse : l'os en question appartient à une autre espèce. Qu'une jeune personne avec du bien refuse deux ou trois partis, pour l'unique raison qu'elle a cru découvrir que ce n'était pas pour elle-même qu'on la voulait, quelle joie de l'expliquer en disant qu'elle est lesbienne! Comment n'avions-nous pas percé cela plus tôt! Comme tout s'éclaire! Ce que c'est que d'avoir l'esprit affranchi! Ces papiers crasseux, où l'on voyait M. de Coantré engouffrant en quelques jours une quantité assez considérable de spiritueux, dont la moitié était l'invention pure d'un coquin de gargotier, et dont l'autre, consommée en effet, ne l'avait été que par le réflexe de défense d'un malheureux qui sentait le besoin de se réchauffer, glacé qu'il était déjà par le froid de la mort, ces papiers, grâce à eux M. Octave reconstituait tout, comprenait tout : *et nunc, reges, intelligite.* Le fait que Léon buvait — fait désormais *acquis* — expliquait clair comme jour la faillite des agrandisseurs, l'excentricité de sa vie, son goût du populaire : et allez donc! c'était la clef de tout. Même de son « émotivité ». « Quand il était ému, et voulait m'embrasser, il devait avoir un verre dans le nez. » M. Elie étant venu voir son frère peu après cette glorieuse découverte : « Est-ce qu'il buvait? » lui demanda M. Octave. « A table, je n'ai rien remarqué, dit M. Elie. Mais dans sa chambre il pouvait faire ce qu'il voulait. » Tirons notre chapeau à M. Elie, pour cette réponse où il y avait un rayon d'honnêteté. C'est une grande erreur, que faire une confiance illimitée à la méchanceté des hommes : il est rare qu'ils nous fassent tout le mal qu'ils pourraient.

Le goût supposé de Léon pour la bouteille permit à M. Octave de se croire la délicatesse personnifiée, lorsqu'il décida de taire à Mme Emilie sa triste découverte. Il lui permit de penser qu'il avait été fin en se défiant de son neveu, qu'il avait eu raison de ne l'aider pas davantage, et enfin qu'il était de plus en plus providentiel que cet homme se fût volatilisé à l'instant voulu. Assurément, il eût été méritoire que ce fait acquis ne fût pas acquis, à compter tous les agréments qu'il apportait.

Inventoriant la malle de Léon, M. Octave vit le paquet cacheté « A brûler sans lire après ma mort. » Il le brûla, dans un sentiment extrêmement vif de la belle action qu'il accomplissait en n'en prenant pas connaissance; il n'eût guère été plus glorieux si, pour témoigner de quelque foi, il se fût rôti lui-même. M. Octave mit de côté les lettres de Mme de Coantré à son fils, pour les lire un jour de loisir, et des liasses, des dossiers entiers de chiffres, qui étaient les comptes de Mme de Coantré : la forêt de chiffres où avait vécu cette personne qui n'avait pas un sou vaillant. En revanche, il lut attentivement le journal quotidien de Léon, d'ailleurs sans intérêt, puisqu'il mentionnait surtout des faits matériels d'ordre mé-

nager. Cependant, quand il arriva à la phrase :
« Fait du sentiment avec le père Oct. On verra!... »,
il sourit en lui-même, sans acrimonie. Cela ne changeait rien à l'idée qu'il se faisait de Léon, et tout
ce qu'il en pensa était contenu dans le mot qu'il
se dit : « Ça, ce n'est pas mauvais! »

M. Octave donna les outils de Léon au chauffeur.
Il pensa donner quelques-unes de ses hardes au curé
de la Trinité, pour ses pauvres. Mais une sorte
d'hésitation respectueuse du Papon, quand il le lui
dit, lui fit comprendre qu'il n'était pas décent de
donner des hardes dans un pareil état de saleté et
d'usure (et telles, comme le dit Papon à la cuisine,
« qu'elles courraient d'elles-mêmes au baquet si
elles pouvaient marcher »). Vexé de s'être fait donner une leçon par son domestique (cela se renou-
velait assez souvent), M. Octave ne voulut même
plus faire mettre les hardes à la boîte aux ordures
de la maison, craignant que le concierge n'ouvrît le
paquet, et, de fil en aiguille, ne devinât d'où elles
provenaient. Papon ficela les vêtements de M. de
Coantré dans des numéros du *Daily Mail*, et alla
jeter le tout, à la nuit close, dans un bosquet du
square de la Trinité.

M. de Coantré, toujours porte-guigne, a failli
créer cette chose incroyable : une ombre dans l'amitié presque centenaire entre le baron et M. Héquelin du Page. Le baron apprit par un tiers que son
ami trouvait qu'il n'avait pas très bien agi avec
son neveu. Il en fut poignardé. Que le monde se
trompât, soit! Mais que son vieil ami, qui connaissait toutes ses pensées (sauf celles qu'il lui cachait),
pût se faire de la réalité une vue si fausse, et porter
un jugement si injuste, cela, c'était dur. Pareillement se fût lamenté Léon lui-même si quelqu'un
lui avait dit qu'il s'était mal conduit avec sa mère.

M. Octave, très ému, commençait d'expliquer à son ami en quoi il avait fait plus que son devoir avec Léon, quand M. Héquelin du Page l'interrompit, lui dit que cette affirmation lui suffisait, qu'il ne voulait pas un mot de plus. Cette courte scène eut l'apparence du sublime.

A mesure que les années passent, M. Octave témoigne de plus en plus de bienveillance pour la mémoire de Léon. Contrairement à ce qu'il attendait, cette mort ne lui a causé aucun ennui d'ordre matériel, et il est reconnaissant à Léon de paraître avoir ignoré les diverses et innombrables façons qu'ont les morts d'embêter les vivants. Le baron a ouvert un crédit à Chandelier, pour que la tombe de son neveu soit décemment entretenue : il se pique que la sépulture du fils de sa sœur n'ait pas l'air abandonné. Même, il y a trois ans, le gel ayant fendu la pierre, M. de Coëtquidan a fait refaire la tombe entière dans un matériau d'une meilleure qualité, et il y a fait graver les armes et la couronne de comte, non sans maintenir toutes ses réserves sur le droit du défunt à cette couronne; mais pour les morts on peut avoir quelques complaisances, puisqu'ils n'en auront pas le plaisir. Chaque fois que M. Octave et sa sœur sont à Fréville, la tombe de Léon de Coantré est fleurie de fleurs toujours fraîches.

Mai-août 1933.

BRODARD ET TAUPIN — IMPRIMEUR - RELIEUR
Paris-Coulommiers. — France.
05.357-IV-1-6826 - Dépôt légal n° 2559, 1er trimestre 1963.
LE LIVRE DE POCHE - 4, rue de Galliéra, Paris.

LE LIVRE DE POCHE

VOLUMES PARUS ET A PARAITRE EN 1963

JANVIER

ÉMILE ZOLA
Le Docteur Pascal.

RAYMOND QUENEAU
Zazie dans le métro.

DANIEL-ROPS
L'Ame obscure.

FRANÇOISE SAGAN
Un Château en Suède.

KATHRYN HULME
Au risque de se perdre.

FÉVRIER

JEAN GIRAUDOUX
La Guerre de Troie n'aura pas lieu.

JAMES JOYCE
Gens de Dublin.

E. HEMINGWAY
Le Vieil Homme et la Mer.

PIERRE BENOIT
Monsieur de la Ferté.

★★★
Madame Solario.

JEAN HOUGRON
La Terre du barbare.